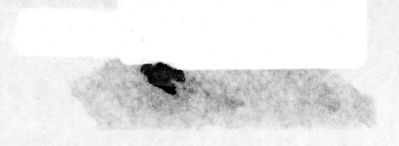

Cómo estudiar

Divulgación/Autoayuda

Últimos títulos publicados

Phil Race

Cómo estudiar

Consejos prácticos
para estudiantes

PAIDÓS

Barcelona
Buenos Aires
México

Título original: *How to study. Practical tips for students*
Originalmente publicado en inglés, en 2003, por Blackwell Publishing Ltd., Oxford, Reino Unido.

This edition is published by arrangement with Blackwell Publishing Ltd., Oxford. Translated by Ediciones Paidós Ibérica, S.A. from the original English language version.
Responsability of the accuracy of the translation rests solely with the Ediciones Paidós Ibérica, S.A. and is not the responsability of Blackwell Publishing Ltd.

Traducción de Montse Florenciano

Cubierta de M.ª José del Rey

© 1992, 2003 by Phil Race
© 2005 de la traducción, Montse Florenciano
© 2005 de todas las ediciones en castellano,
    Ediciones Paidós Ibérica, S.A.,
    Mariano Cubí, 92 - 08021 Barcelona
    http://www.paidos.com

ISBN: 84-493-1746-0
Depósito legal: B. 16.977/2005

Impreso en Novagràfic, S.L.
Vivaldi, 5 - 08110 Montcada i Reixac (Barcelona)

Impreso en España - Printed in Spain

Sumario

Tercera parte
REDACTAR TRABAJOS

Cuarta parte
EXPOSICIONES ORALES

Quinta parte
ALTIBAJOS

SEXTA PARTE
PREPARACIÓN DE EXÁMENES: DEMUESTRA TUS CAPACIDADES

SÉPTIMA PARTE
EXÁMENES: ANTES, MIENTRAS Y DESPUÉS

BUSCAR TRABAJO

Acerca de este libro

El objetivo del libro que tienes en tus manos es asegurarte el éxito como estudiante. Lo he escrito con la intención de que te acompañe a lo largo de tus años universitarios, para que puedas aprender de la experiencia de otras personas y aproveches tu tiempo al máximo. En 1992 publiqué *500 tips for students*, y lo dediqué «a mi hijo Angus, con la esperanza de que lea los consejos que no escucha». Me alegra poder decir que sí los leyó y que Angus cuenta ahora con dos licenciaturas. Los contenidos de este libro van todavía más lejos, ya que mi experiencia en el campo del asesoramiento académico ha aumentado significativamente desde 1992. Este nuevo libro se centra mucho más en lo que será tu ocupación principal: rendir al máximo durante el curso y en exámenes y luego aprender a buscar trabajo.

Desde 1992 me dedico a asesorar a estudiantes y profesores para que mejoren sus tácticas de aprendizaje y enseñanza respectivamente. En ambos casos destaca el papel de la evaluación, y en este libro queda plasmada la experiencia que he adquirido en el diseño e implementación de métodos de evaluación, para que así puedas optimizar tu rendimiento en este sentido.

Tu éxito académico no dependerá tanto de tus conocimientos, sino de cómo los plasmes en los exámenes y trabajos que te evaluarán a lo largo del curso. Puedes poner en práctica los consejos de este libro de muchas maneras, como por ejemplo:

- buscando información específica, según el aspecto que te interese en un momento concreto de tus estudios;
- leyéndolo sistemáticamente o acudiendo a las partes que sean pertinentes a tu situación de estudiante;
- poniendo en práctica nuevas ideas y descubriendo cuáles son las que te funcionan;
- utilizándolo para ver hasta qué punto tus hábitos de estudio resultan válidos para el objetivo de tu actual contexto de estudio;
- utilizándolo como base para que tú mismo desarrolles ideas aún mejores.

La primera parte, «Gestionar tu aprendizaje», ofrece una serie de sugerencias, de entre las cuales destacan las que encontrarás en los apartados «Gestionar tu tiempo» y «Ponerte en marcha». La segunda parte se centra en cómo aprovechar al máximo las clases, la información, las prácticas, los materiales de autoaprendizaje y los recursos informáticos, así como en analizar tu propio aprendizaje si por ejemplo te piden que vayas elaborando un dossier o diario de seguimiento. La tercera parte se centra en los trabajos, desde la preparación hasta la devolución con comentarios del profesor. Incluye, además, sugerencias sobre cómo citar obras en tus trabajos. La cuarta parte está dedicada a las exposiciones orales y te ayudará a perderles el miedo tanto a la hora de prepararlas como en el momento de darlas; a su vez, esta información te servirá para que en el futuro sepas desenvolverte en entrevistas. La quinta parte se titula «Altibajos» y está pensada para que aprendas a superar situaciones difíciles que podrás encontrarte a lo largo de tus estudios. La sexta parte se titula «Preparación de exámenes: demuestra tus capacidades», y el objetivo no consiste simplemente en ayudarte a que estudies con efectividad, sino a que lo hagas de un modo llevadero, sin que estudiar te resulte un quebradero de cabeza. La séptima parte se titula «Exámenes: antes, mientras y después» y presenta sugerencias que ya han demostrado ser válidas para conseguir buenas notas y tener una mejor experiencia de los exámenes en general. Por último, la octava parte, titulada «Buscar trabajo», te ayudará a redactar un buen *curriculum vitae*, a buscar trabajo siguiendo una lógica y un método y a mostrar lo mejor de ti en las entrevistas.

No obstante, por muy buenos que sean estos consejos, solamente te resultarán útiles si los pones en práctica, y esto, al fin y al cabo, es algo que depende de ti. Pero este libro sin duda te servirá de ayuda a lo largo de tus estudios y te explicará por qué vale la pena invertir tus capacidades para convertirte en un estudiante eficiente.

Agradezco a muchas personas, estudiantes y profesionales las incontables y valiosas sugerencias que me han ofrecido para perfeccionar este libro. Doy las gracias especialmente a la profesora Sally Brown, con quien discutí numerosos aspectos del libro mientras lo escribía, al profesor John Cowan, a la doctora Clara Davies y a Chris Butcher, quienes sugirieron aspectos que me ayudaron a desarrollar algunas partes del libro.

Y, por último, te deseo mucha suerte, que de hecho no necesitarás si inviertes todas tus capacidades en convertirte en un buen estudiante, aunque tener suerte tampoco es nada malo.

PHIL RACE

Primera parte

Gestionar tu aprendizaje

1

Querer aprender

Si ya te has puesto las pilas para empezar la universidad y tu motivación no deja lugar a dudas, quizá no necesites estos consejos. Sin embargo, a casi todos nos fallan las pilas tarde o temprano, por lo que de vez en cuando no va mal encontrar vías para recuperar el entusiasmo, sobre todo cuando los estudios empiezan a complicarse.

1. *Factores que sostienen el aprendizaje con éxito.* En el transcurso de mis investigaciones para saber cuáles son los mejores métodos para aprender, le he preguntado a muchísimas personas cuál es el suyo y qué es lo que no les funciona. Las respuestas indican cinco factores principales para el aprendizaje con éxito:

- *querer* aprender;
- *sentir* la necesidad de aprender;
- *aprender con la práctica*: experimentar, repetir, aprender de los errores;
- *aprender a partir de los comentarios*: tener en cuenta los comentarios de los otros, las críticas y los elogios;
- *encontrar el sentido de lo aprendido*: es decir, «digerirlo», que tu cabeza lo asimile.

Este libro ofrece numerosos consejos prácticos para que aprendas a gestionar estos cinco factores.

2. *Las relaciones entre diversos procesos.* Existen varios modos de entender la interrelación entre los distintos procesos vinculados al aprendizaje con éxito.

De hecho, los cinco factores mencionados en el punto anterior mantienen esta interrelación. Cuando quieres aprender algo (o tienes que aprenderlo), pocos resultados obtendrás si tú mismo no pones algo de tu parte, lo que implica tener que practicar, equivocarse e incluso tener que repetir las cosas. Así pues, es importante que veas el sentido de lo que has hecho, para aprender de verdad; esto funciona sobre todo cuando recibes comentarios acerca de tu trabajo, ya que de este modo queda claro lo que todavía te queda por aprender, hacia dónde debes encaminarte, etc.

3. *Imagínate que tienes un barómetro que registra todo lo que quieres aprender.* Sin duda alguna, la información de este barómetro cambiará según el día y podrá variar bastante según lo que estés aprendiendo en un momento determinado. En este sentido, vale la pena llevar un seguimiento mental de los aspectos de tus estudios que aparecen altos en el barómetro y, todavía más importante, de los que son las áreas de bajas presiones: tarde o temprano éstas necesitarán que les prestes atención.

4. *Elabora una lista de asignaturas según tu interés personal.* Esta lista puede variar significativamente de una semana a otra, pero siempre irá bien saber en qué medida varía. Esto significa que las asignaturas que hayas situado en la parte superior de la lista funcionarán por sí solas, ya que te resultará fácil encontrar el momento para dedicarte a ellas. Sin embargo, las asignaturas que aparecen una y otra vez en la parte inferior de la lista son áreas de peligro potencial, por lo que deberás dedicarte a ellas junto con el resto de asignaturas.

5. *Procura dedicar cada día algo de tiempo a las asignaturas que menos te interesen.* Esto equivale a invertir en éxitos futuros. Luego tú mismo puedes recompensarte dedicándote a algo que realmente te interese: te sentirás todavía más satisfecho por haber liquidado algo que te motivaba menos y haber hecho algo útil, por muy insignificante que fuera.

6. *Elabora una lista general con tus objetivos.* Piensa en la próxima etapa de tu vida, una vez hayas finalizado los estudios. ¿Cuáles son las recompensas que cosecharás como resultado de tus esfuerzos actuales? Para mantenerte motivado, puede ser útil que tú mismo te vayas recordando las buenas razones para esforzarte ahora algo más.

7. *Pregunta a tus compañeros por qué estudian.* Pregunta a tus compañeros por qué no se rinden cuando el camino se complica. Verás que es útil adoptar sus razones para seguir adelante con los estudios. Asimismo, si encuentras que tus razones para seguir aprendiendo todavía son mejores que las de ellos, te sentirás satisfecho contigo mismo.

8. *Piensa qué puedes hacer para que aumenten tus ganas de hacer cosas.* ¿Cuáles son las recompensas que funcionan en tu caso? Cuanto más consciente eres de lo que te lleva al éxito, mejor definirás tus métodos de estudio.

9. *Cuando hay algo que no quieres aprender, procura averiguar la causa.* ¿Qué problema tiene la asignatura que tanto te disgusta? ¿O quizá lo que te disgusta es el profesor? Al fin y al cabo, no tienen por qué gustarnos todos los profesores, aunque siempre podemos aprender, incluso de las personas que no son de nuestro agrado. No cabe duda de que resulta más entretenido aprender de aquellos que nos caen bien, pero esto es un lujo que no podemos tener siempre al alcance.

10. *Ten cuidado con las cosas que realmente quieres aprender.* Pese a que siempre es positivo sentirse motivado para aprender algo, no debes olvidar cuáles son los objetivos. El mayor peligro reside en dedicarle demasiado tiempo y energía a aquello que verdaderamente te gusta y que cuenta poco en cuanto a notas o créditos para el título que persigues.

2
Tener que aprender

Con los consejos anteriores hemos analizado varios modos de tener bajo control lo que quieres aprender. En este apartado vamos a analizar atentamente la otra cara de la moneda, es decir, aquello que no te interesa tanto aprender, pero que no te queda más remedio que hacerlo. Lo que menos te interese formará parte de tu agenda igual que lo que te interesa, y el equilibrio entre ambos factores forma parte del arte de aprender con éxito.

1. *Infórmate todo lo que puedas sobre lo que debes aprender exactamente.* Estar informado te facilitará el aprendizaje y te ahorrará tiempo y energía, ya que así evitarás perder el tiempo con cosas innecesarias.

2. *Adquiere el hábito de tener en cuenta los objetivos.* Los programas de tus asignaturas seguramente se expresarán en términos de resultados esperados u «objetivos». A veces estos objetivos se especifican en una lista, aunque también suelen aparecer expresados por una explicación del estilo «una vez finalizado el módulo, los estudiantes estarán capacitados para...», frase que continuará con una lista de los conocimientos que se espera que hayas adquirido para demostrar que has conseguido los objetivos esperados.

3. *Infórmate al máximo acerca de los objetivos de aprendizaje,* y sobre todo de hasta qué punto están relacionados con la evalua-

ción. De un modo u otro, todo lo que hayas podido aprender tarde o temprano será evaluado. Cuanto más sepas acerca de lo que debes hacer para demostrar que has conseguido los objetivos, más fácil te resultará establecer las prioridades de lo que necesitas aprender.

4. *Piensa por qué hay cosas que debes aprender.* Las razones suelen ser buenas: a menudo sucede que para entender un aspecto concreto del tema B antes debe dominarse el tema A. Cuando tengas que estudiar ese primer tema, si entiendes por qué es necesario dedicarle tiempo y energía, estarás mucho mejor dispuesto para enfrentarte a él, por muy aburrido o inútil que te parezca.

5. *Controla tu progreso en función de lo que debes aprender.* Esto te ayudará a ver que incluso esos temas que te interesan más bien poco pueden resultar llevaderos. En este sentido, te ayudará confeccionar una lista con aquello que debes hacer porque sabes que es una obligación y poco a poco ir viendo que te quedan menos cosas por hacer.

6. *Siempre que puedas, convierte una «obligación» en «ganas».* Pese a que no siempre lo conseguirás, en más de una ocasión verás que hay buenas razones para querer aprender algo por obligación. Tú mismo encontraras vías para entender que aquello que tienes que aprender es útil en otros aspectos de tu vida.

7. *Elabora una lista con lo que debes hacer* y cuélgala, por ejemplo, en la pared, a modo de recordatorio. Divídela en tres columnas: la primera indicará la tarea, la segunda el plazo para realizarla y la tercera si ya está hecha o no. No hace falta decir que resulta muy gratificante poner marcas en esta tercera columna o ver que ya está hecho todo lo que había en la lista.

8. *Utiliza esta lista para otros aspectos de tu vida.* No pienses solamente en lo que debas aprender o en los trabajos que tengas que hacer. En la lista puedes incluir otras actividades, como por ejemplo llamar a un amigo, contestar a una carta o e-mail, anotar algo que tengas que comprar en el supermercado, etc. Esto hace que la agenda relacionada con tus estudios no se aparte del resto de tus quehaceres cotidianos. Es importante que entiendas los estudios como una faceta más de tu vida y no como algo separado a lo que te dedicas a veces.

3

Aprender haciendo

Muchas de las sugerencias que contiene este libro están relacionadas con hacer cosas, ya que poco se aprende si no es así. Los consejos de este apartado se centran en el hecho de aprender haciendo mediante un enfoque global.

1. *Reconoce que es poco lo que pasa si no se hace nada.* Al parecer Einstein dijo: «El conocimiento es experiencia y el resto no es sino información». La experiencia tiene que ver con el hecho de hacer cosas. Tus apuntes de clase, los libros de texto o Internet no se convertirán en conocimiento por arte de magia a no ser que hagas algo con la información que estas fuentes contienen.

2. *Cuidado con dar demasiadas vueltas a lo que vas a hacer en vez de ponerte a hacerlo.* Planificar lo que toca hacer es muy buena idea, aunque comporta un peligro, ya que es más fácil que pasar a la acción. Proponte como norma que la planificación dure unos pocos minutos e inmediatamente ponte manos a la obra, aunque sólo te dé tiempo a empezar una de las cosas que te habías propuesto.

3. *Con ciertos métodos se aprende mucho más que con otros.* Si lo único que haces, por ejemplo, es leer y leer, poco aprenderás, ya que casi todo lo que se lee luego se olvida. En cambio, si a medida que lees vas haciendo resúmenes, anotando preguntas, comentando

23

los contenidos con más gente, tu aprendizaje saldrá significativamente beneficiado.

4. *No tienes por qué terminar todo lo que empiezas.* Algunas personas se frustran si empiezan algo y no siguen con ello hasta acabarlo. Sin embargo, lo que importa es haber empezado, puesto que luego resulta mucho más fácil volver a ello en vez de tener que empezar de cero. Por supuesto que se necesita una cierta autodisciplina para retomar algo ya empezado y acabarlo, pero éste es un hábito al que cuesta poco acostumbrarse.

5. *Hacer cosas no tiene por qué ser aburrido.* Son muchísimas las cosas que puedes hacer para aprender con resultados positivos. Este libro está lleno de ideas al respecto.

6. *Existen dos categorías de cosas que puedes hacer.* En una se encuentra lo que debes hacer irremediablemente: trabajos, prácticas, etc. La otra categoría engloba lo que tú eliges hacer, como por ejemplo estar a la altura del trabajo que ya has hecho, estudiar antes de un examen o profundizar los aspectos que más te interesen del temario de una asignatura.

7. *La gracia de aprender haciendo es la variedad.* Cuando existe una amplia gama de posibles actividades para aprender haciendo, conviene ir alternándolas en vez de centrarse en una sola de ellas durante demasiado tiempo.

8. *Hay cosas que pueden hacerse en pocos minutos,* como por ejemplo un resumen con los tres puntos más importantes de la clase de las 10 de la mañana del martes; sólo se necesitan cinco minutos o menos. Este resumen será a su vez una buena herramienta de aprendizaje para no olvidar esos tres puntos y para consultarlos posteriormente.

9. *Algunas cosas requieren más tiempo,* como redactar comentarios o informes. Y la redacción de un trabajo o una tesina aún requieren más tiempo, aunque las cosas no se hacen de golpe e incluso los trabajos de mayor envergadura es mejor hacerlos a ratos.

10. *Hay cosas que se pueden hacer en cualquier sitio,* como pensar, por ejemplo. Dondequiera que estés, si tienes cinco minutos

libres puedes dedicarlos a reflexionar sobre lo que ya sabes de un tema.

11. *Hay cosas que sólo pueden hacerse en un lugar concreto,* como por ejemplo los trabajos que requieren el uso del ordenador. Sin embargo, esto no quita que en otros lugares no te puedas dedicar a otras tareas relacionadas con dichos trabajos, como hacer esquemas, trazar el primer borrador, buscar información, etc.

4

Aprender de los comentarios

A lo largo de tus estudios recibirás muchos comentarios y observaciones, un aspecto importantísimo que te servirá para aprender más. Pero eres tú quien debe buscarlos si quieres sacar el máximo partido. Asimismo, deberás mostrarte receptivo cuando los recibas. Los siguientes consejos te serán útiles para beneficiarte en este sentido.

1. *Considera* todo *comentario algo válido.* Tanto si lo obtienes en forma de crítica o alabanza, no te servirá de mucho a no ser que tú mismo lo valores.

2. Cualquier *comentario es útil.* Aunque es normal que consideres más válidos los comentarios de los profesores, también debes tener en cuenta las valoraciones de tu trabajo por parte de compañeros y personas cercanas.

3. *Valora las observaciones positivas.* A veces nos da vergüenza que nos feliciten por algo que hemos hecho. Ante los halagos existe la tentación de responder con frases como «Bueno, no está tan bien», y puede que incluso nos lo terminemos creyendo. Por este motivo, siempre es mejor manifestar tu orgullo, aunque hasta cierto punto, por supuesto. Se trata, pues, de aceptar los comentarios, que a su vez te servirán para hacerlo aún mejor la próxima vez.

4. *Da las gracias a aquellos cuyos comentarios sean positivos.* El simple hecho de reconocer tu agradecimiento puede ser sufi-

ciente. Si le das las gracias a alguien que te haya felicitado, seguramente vuelva a hacerlo, y esto equivaldrá a más y mejores observaciones para ti.

5. *No te pongas a la defensiva si recibes comentarios críticos.* Es comprensible que quieras protegerte ante las críticas; sin embargo, ésta es una actitud que no te beneficia. Cuanto más receptivo y sereno te muestres ante un comentario, más útil te resultará.

6. *Agradece las críticas.* Incluso cuando discrepes de los comentarios, te resultará positivo decir algo como: «Agradezco tu opinión. Seguro que me servirá para otras ocasiones».

7. *No esperes a recibir comentarios, pregunta directamente.* Aprovecha cualquier oportunidad para recibir más comentarios. Haz preguntas como: «Según su opinión, ¿qué es lo que me salió mejor aquí?» o «¿Qué me recomienda que cambie la próxima vez que tenga que hacer un trabajo parecido?», etc.

5

Encontrar el sentido de las cosas: asimilar

De algún modo, éste es el más importante de los procesos que conducen al aprendizaje con éxito. Encontrarle el sentido a algo significa haber profundizado la comprensión, que al mismo tiempo equivale a estar mejor preparado para demostrar que realmente has aprendido. Muchas de las sugerencias que se hacen a lo largo de este libro están relacionadas con la capacidad de asimilar lo que se aprende. En concreto, éstas están pensadas a modo de introducción.

1. *No te limites a acumular información.* Puedes tener todos los libros, artículos, informes y páginas web que quieras y no entender la información que contienen. Si quieres encontrarle el sentido a una cosa, deberás poner algo de tu parte. Son muchas las cosas que puedes hacer para ello, como por ejemplo resúmenes, explicarlo a alguien, practicarlo, formular preguntas al respecto y contestarlas tú mismo, utilizarlo para resolver problemas, etc.

2. *No te preocupes* demasiado *si no entiendes algo a la primera.* A menudo no se nos enciende la lucecita hasta que no nos familiarizamos un poco con una idea o concepto. Por eso hasta que esto no sucede podemos hacer cosas como las especificadas en el punto anterior, para que tarde o temprano la lucecita se nos acabe encendiendo.

3. *Controla lo que hayas asimilado.* Uno de los problemas es que solemos dejar de reflexionar sobre algo cuando le encontramos el sentido, lo que comporta que podamos olvidarlo.

4. *Ten en cuenta los comentarios para encontrarle el sentido a algo,* ya que no nos damos cuenta de lo que hemos asimilado y de lo que todavía no entendemos hasta que alguien nos da su opinión.

5. *Explica a otras personas lo que acabas de aprender.* El hecho de expresar una idea en palabras y explicarla a alguien es una de las mejores maneras de entender algo. No importa a quien se lo expliques, siempre que se trate de alguien dispuesto a escucharte. Será mejor, eso sí, que se trate de una persona que sepa de qué va el tema, sobre todo si también lo está estudiando.

6. *Explícate las cosas a ti mismo.* Cuando no tengas la oportunidad de explicar lo que acabas de aprender a otras personas, procura explicártelas a ti mismo. Además, esta práctica será una especie de ensayo para los exámenes y también te ayudará a ordenar las ideas mentalmente y a que te des cuenta de lo que todavía te queda por profundizar para dominarlo del todo.

6

Ocuparte de tus estudios

¿Quién se ocupa de tu aprendizaje? Cuando estabas en la escuela podrías haber respondido: «Los profesores y, en casa, mis padres». Puede que hoy tus padres todavía te presionen para que estudies, aunque a estas alturas ya te habrás dado cuenta de que sólo avanzamos cuando hacemos las cosas por iniciativa propia. La siguiente lista de consejos está pensada para que tengas una mayor sensación de que eres el verdadero responsable de tus estudios. Si tú mismo tomas las riendas, tendrás más probabilidades de llegar a algún lugar.

1. *¿Por qué estudias?* Procura tener más de una buena respuesta para esta pregunta. Es mucho mejor estudiar por voluntad propia que hacerlo porque es lo que otras personas esperan de ti. Piensa que si te van bien los estudios tendrás un futuro laboral mejor y oportunidades profesionales más interesantes, lo que supone un mejor futuro en general. Se trata de tu vida y estás invirtiendo tiempo y energía en tu propio futuro.

2. *¿Quiénes guían tu aprendizaje?* Bajo esta pregunta incluiríamos a los profesores, aunque ellos no van a aprender por ti, puesto que ya estudiaron en su día. Quizá tus padres, hermanos o amigos piensen que todavía tienen que guiarte. Sin embargo, eres tú quien debe hacer los exámenes. Así pues, es importante que veas que aho-

ra estas personas pueden servirte de apoyo en tu aprendizaje, pero que no lo guían. Tú eres quien debe tomar las riendas.

3. *¿A quién quieres parecerte?* Muchos estudiantes creen estar siguiendo los pasos de otros. No hay nada de malo en ello, pero lo que no tiene sentido es seguir los pasos de alguien y tener que pasar por el mismo calvario o cruzar los mismos terrenos pantanosos. Sin duda alguna es positivo aprender de la experiencia de otras personas, pero con la condición de que tus estudios sean tu propia experiencia.

4. *Marca tus propios objetivos.* Notarás a menudo que todo el mundo te marca objetivos (profesores, tutores, incluso compañeros de clase). Es cierto que deberás alcanzar toda una serie de objetivos marcados por otras personas, pero esto no quita que tú no puedas marcarte tus propios objetivos, como por ejemplo terminar un trabajo días o incluso semanas antes de la fecha de entrega establecida.

5. *Conviértete en tu propio asesor.* Tarde o temprano, tu trabajo será evaluado por profesores y examinadores, aunque tú eres quien primero lo ve. Así pues, si te habitúas a repasarlo a medida que lo vayas haciendo, conseguirás resultados que de lo contrario no alcanzarías. Eso sí: evaluar el propio trabajo depende de uno mismo. Por lo tanto, te recomiendo que empieces a contemplar esta opción como uno de tus objetivos.

6. *Conviértete en un coleccionista de pistas.* A lo largo de los estudios constantemente se te facilitarán pistas sobre lo que se espera que hagas. Las encontrarás en las clases, en los manuales, en las pautas para la elaboración de trabajos, y también, evidentemente, en las preguntas de los exámenes. No te limites a fijarte en estas pistas y luego olvidarlas: anótalas en tus apuntes. En este sentido, es bueno tener siempre a mano una libreta para anotar ideas que no debes olvidar y que te beneficiarán en tus estudios.

7. *Comprométete a aprovechar al máximo los comentarios que recibas.* Esto es muy fácil cuando te devuelven un trabajo con una buena nota, pero no tanto cuando te lo devuelven con comentarios como: «No has respondido a la pregunta». Acuérdate de que todo

31

comentario es positivo y que puede serte útil para futuros trabajos, aunque sólo funciona si tú pones algo de tu parte: no esperes a que te caiga del cielo.

8. *Haz planes y ve cambiándolos con frecuencia.* Cambiar un plan requiere más esfuerzo que hacer uno nuevo. No es señal de debilidad abandonar algo que no acaba de funcionar. A medida que veas qué es lo que mejor te sale y qué debe cambiarse, te darás cuenta de que cada vez te sabes organizar con más eficacia.

9. *Entiende que todo y todos son tus recursos.* Puedes aprender, incluso lo que no debes hacer, de todas las personas que tienes a tu alrededor. Asimismo, el material de estudio como los libros de texto, las páginas web, las fotocopias y los apuntes serán tus recursos. Sin duda alguna, unos te resultarán más útiles que otros, por lo que en poco tiempo ya sabrás distinguir cuáles son los que más te convienen.

10. *No quieras convencerte de que eres capaz de estar siempre estudiando,* porque nadie lo es. A diferencia de un ordenador, el cerebro no puede trabajar las veinticuatro horas del día. Lo que importa es que rindas mientras estés estudiando, que seas eficiente a la hora de concentrarte en la tarea que te ocupa y que sepas darte cuenta de cuándo parar y que lo hagas con la conciencia tranquila.

7

Gestionar tu tiempo

Éste es un aspecto que depende únicamente de ti, ya que se trata de tu tiempo. Todos disponemos de la misma cantidad de tiempo al día, veinticuatro horas, aunque hay personas que parecen tomárselo con más calma y otras que se ponen nerviosas. Cuando se trata de organizarse el tiempo es aconsejable tomárselo con calma, especialmente cuando sabes que te lo mereces: se trata de tu recompensa por haber sabido gestionarte el tiempo.

1. Comprométete *a responsabilizarte de tu tiempo*. Esto no significa que puedas relajarte demasiado y terminar perdiéndolo, aunque tampoco significa que todo lo que tengas que hacer vaya a ponerte tan nervioso que termines haciendo poco más que rascarte la cabeza. Ocuparte de tu tiempo significa estar seguro de que lo estás aprovechando.

2. *Recuérdate lo que está en juego*. Saber organizarte el tiempo hará que mejore tu calidad de vida. Serás más eficiente, efectivo y recibirás menos presión por parte de los demás.

3. *Organizarte el tiempo te* proporciona *tiempo*. A pesar de que organizarse requiere tiempo, verás que, si aprendes a hacerlo, a la larga terminarás ahorrándote incluso horas, que podrás dedicar a lo que tú quieras.

4. *Sácate el título de administrador de tiempo*. Aunque este título no existe, sacarse cualquier otro título sí depende de haberse

33

sabido administrar el tiempo. Cuanto mejor te organices el tiempo de estudio, más probabilidades tendrás de sacarte el título que persigues.

5. *Piensa en términos de buenos resultados.* Dedica tu tiempo a actividades cuyos resultados repercutirán positivamente en tu aprendizaje, como por ejemplo elaborar resúmenes, comentar temas con otros compañeros o hacerte tú mismo preguntas acerca de lo que acabas de estudiar o estudiaste hace algunas semanas, etc.

6. *Dedica menos tiempo a otros aspectos menos decisivos en tu aprendizaje.* En comparación con las ideas del punto anterior, se aprende menos con actividades como la lectura pasiva, redactando informes u otros escritos, con los trabajos prácticos o asistiendo a clases poco estimulantes. De todos modos se trata de cosas que tienes que hacer, aunque no te engañes a ti mismo queriéndote creer que, por el mero hecho de afanarte, estás aprendiendo mucho.

7. *No pierdas tiempo* pensando *en el trabajo que vas a hacer.* A todos se nos da muy bien retrasar el terrible momento de tener que

empezar a hacer algo. Lo mejor es simplemente empezar; eso te ahorrará tener que retrasar el trabajo.

8. *Si te administras los minutos, te administras las horas.* No esperes a tener tres horas de tranquilidad para seguir estudiando: aprovecha todo el tiempo que tengas a tu disposición, es decir, cinco minutos de aquí, cinco minutos de allá y todos los espacios que te queden, por muy cortos que sean.

9. *Cuando tengas un rato, dedícate a estudiar.* Repasar los apuntes de las clases de la semana anterior, por ejemplo, es una actividad que se hace en pocos minutos. Lo mismo puede decirse de la elaboración de resúmenes de algo que hayas leído o de una lista de tareas pendientes.

10. *Del tiempo que dispongas para un trabajo, utiliza el* primer *10%.* Quizá te habrás dado cuenta de que los humanos tendemos a dejar las cosas para última hora y que generalmente no terminamos un trabajo hasta el último 10% del tiempo del que disponemos. Por lógica, se entiende que hubiésemos podido rendir igual durante el primer 10% de este tiempo. Por lo tanto, piensa en las otras cosas que puedes hacer en el 90% restante, sin olvidarte de repasar y pulir el trabajo, lo que equivaldrá a mejor nota si se trata de un trabajo que se va a evaluar.

11. *Fíjate tú mismo el plazo de entrega.* Los profesores te dirán cuándo debes entregar un trabajo, pero es aconsejable que tú fijes una fecha previa. Ahora bien, no te fijes únicamente la fecha de entrega, sino también pequeños plazos en el transcurso de la elaboración del trabajo, para de esta manera dividir una tarea pesada en partes más llevaderas.

12. *Comenta tus objetivos y plazos de entrega con otras personas.* Saber que otros pueden hacerte preguntas como: «¿Ya has terminado aquello que dijiste que tenías que hacer para hoy?» es un gran incentivo para poder dar una respuesta como: «¡Pues claro!».

13. *Sé puntual.* No te limites a llegar a la hora a tus clases, tutorías, prácticas, etc., sino un poco antes. Si resulta que no tienes nada que hacer, puedes emplear estos minutos en reflexionar acerca

del tema que se va a tratar, las preguntas que quieres hacer al respecto o relacionar el tema con otros aspectos. Se trata, pues, de reflexiones que sin duda alguna darán su fruto en términos de aprendizaje y que no podrías llevar a cabo si llegases tarde, puesto que entonces sólo pensarías en el hecho de haber llegado tarde.

14. *Avanza con el temario.* Una gran póliza de seguros es ir un par de semanas (o más) adelantado respecto de dónde se supone que tienes que estar del temario. De este modo, si surge algo inesperado (si te pones enfermo, si pasa algo en casa, si un amigo te pide que le ayudes, etc.) estarás salvado. Es bueno saber que dispones de tiempo y que no tienes que preocuparte de los plazos de entrega, de las evaluaciones ni del calendario de exámenes. El resto del tiempo puedes utilizarlo para adquirir todavía más conocimientos.

15. *Ve repasando.* Busca ratos para detenerte a reflexionar. Volver a lo que estudiaste el día o la semana anterior es esencial, puesto que es imposible avanzar si dejas que todo lo que ya has aprendido se evapore. Ésta es una práctica útil para consolidar conocimientos, ya que es esto precisamente lo que tendrán en cuenta quienes te evalúen, y no todo lo que hayas podido aprender y luego olvidar.

16. *Organízate el tiempo libre.* Si vas adelantado te mereces algo de tiempo libre. Tomarse tiempo libre cuando ya se ha planificado todo permite hacerlo sin remordimientos y también que nos divirtamos más que cuando estamos huyendo del trabajo acumulado. Disfrutar del tiempo libre renueva física y mentalmente y hace que estés en forma para cuando tengas que volver a estudiar.

8

Ponerte en marcha

Las siguientes páginas se centran, más que en la gestión del tiempo, en la gestión del trabajo. Pongamos que tienes que hacer algo importante relacionado con tus estudios: si no lo empiezas, seguro que no lo acabarás. La naturaleza humana parece dictar que cuanto más difícil es un trabajo, menos cuesta retrasar su comienzo. No obstante, una vez empezados, casi todos los trabajos se terminan. Además, suelen terminarse mucho más rápida y fácilmente de lo que en principio creíamos. Estos consejos se dividen en dos partes: la primera tiene que ver con los enemigos que surgen a la hora de gestionar el trabajo, es decir, esas estrategias para esquivar el trabajo de las que podemos caer presa, y la segunda se centra en cómo empezar en serio cuando decidimos hacerlo.

Comprueba cuáles son tus estrategias para esquivar el trabajo: ¿hay alguna que sea válida en tu caso? Si no es así, mejor. En caso contrario, debes aprender a reconocer a tu enemigo y a hacer algo al respecto.

---

1. *¿Te pones a ordenarlo todo antes de empezar?* ¿Ordenas el escritorio, la habitación, el piso, la ciudad entera? Ponte a ordenar

las cosas media hora después de haber empezado a trabajar, si es que te apetece. Así, como mínimo, mientras vayas ordenando las cosas, tendrás el trabajo fresco en la cabeza y se te pueden ocurrir ideas.

2. *¿Te dedicas a hacer trabajos fáciles y cortos a fin de retrasar los más difíciles y largos?* Esto tiene fácil solución: céntrate durante media hora en el trabajo más largo y luego, para descansar un poco, dedica algo de tiempo a tareas menos complicadas. Te sorprenderá ver hasta qué punto puedes avanzar con el trabajo largo en tan sólo media hora y lo mejor es que ya lo tendrás empezado.

3. *¿Escurres el bulto?*, ¿te pones a hacer la colada?, ¿a planchar?, ¿te vas a comprar al supermercado?, ¿te pones a engrasar tu bicicleta o la de algún amigo? Tantas son las cosas que puedes hacer para alejarte de tu trabajo que podrías llenar un libro el doble de grueso que éste. No te engañes a ti mismo. No puedes inventarte más cosas, puesto que ya está todo inventado. Además, siempre se trata de lo mismo: retrasar las cosas importantes que se tienen pendientes. Pero ya llegará el momento para estas actividades relacionadas con la dispersión: en cuanto hayas avanzado con un trabajo, podrás seguir pensando en ello y también en cosas más sencillas.

4. *¿Recopilas toda la parafernalia que quizá vayas a necesitar para el trabajo?*, ¿coges todos tus libros, fotocopias y apuntes?, ¿todos tus bolígrafos, lápices y material de escritorio? Para ponerse manos a la obra no hacen falta tantas cosas. Una vez que hayas empezado, sí puedes distraerte un poco buscando más material.

5. *¿Antes de empezar compruebas que todo esté en su sitio?*, ¿ordenas lo que tienes archivado en el ordenador?, ¿te ordenas las carpetas?, ¿te copias en disquetes los documentos más importantes?, ¿te pones a contestar aquel e-mail que todavía tienes pendiente? Evidentemente que son quehaceres importantes, pero es mejor que te dediques a ellos cuando ya hayas avanzado con tu trabajo.

Tácticas para ponerse en marcha en serio: de la siguiente lista, escoge aquello que realmente te vaya a ser útil o, aún mejor, piensa en otras ideas más adecuadas para ti, ya que en este sentido puedes ser creativo. Como ejemplo, imaginémonos que te han pedido que redactes algo (aunque las siguientes sugerencias son válidas para cualquier tipo de trabajo importante).

1. *Saca hojas en blanco.* Si te has quedado sin folios, ni se te ocurra salir expresamente a comprar un paquete y aprovecha el dorso de alguna fotocopia. Aunque hay muchas cosas que pueden hacerse directamente a ordenador, para otras se necesita papel. Además, una vez encendido el ordenador, tienes más probabilidades de dispersarte: si estás conectado a la red, tienes todo Internet para navegar, y si no, igualmente puedes dedicarte a ese par de juegos que tienes. En cambio, si empiezas a trabajar sobre papel puedes colgarte notas en la pared para no olvidar los puntos importantes que posteriormente desarrollarás cuando los pases a ordenador.

2. *Anota lo que ya sabes del tema.* En un folio en blanco, escribe el título del tema o las palabras clave de las instrucciones del trabajo. Hazlo en forma ovalada en el centro de la página. A continuación dibuja unas flechas que salgan de lo que hayas escrito. En el extremo de cada flecha anota lo que ya sepas (una o dos palabras a modo de recordatorio serán suficientes) y, a continuación, todo lo que consideres conveniente: plasma en este diagrama lo que se te ocurra en vez de guardártelo en la cabeza.

3. *Anota lo que todavía no sabes del tema.* Toma otro folio en blanco y haz otro diagrama en forma ovalada. Esta vez, en los extremos de las flechas, anota preguntas sobre los aspectos que todavía no te hayan quedado claros y que necesitas profundizar.

4. *Ahora vuelve a leer atentamente las instrucciones del trabajo.* Lee bien las palabras clave. ¿Qué es lo que te han pedido que hagas?, ¿tienes que argumentar, describir, comparar, evaluar o in-

vestigar algo? Vuelve a mirar lo que ya sabes y lo que no y comprueba cuáles de estos aspectos son relevantes para la ejecución del trabajo.

5. *Llama a un amigo o habla con otras personas.* Los diagramas sobre lo que sabes y lo que no sabes resultan todavía más productivos si los haces con algún compañero. No estarás de ningún modo copiando, ni tampoco haciendo trampa, sino reflexionando con otra persona y enriqueciendo tu conjunto de ideas. Al trabajar con más gente siempre surgen ideas o dudas que no se te hubiesen ocurrido a ti solo.

6. *Empieza a marcarte prioridades.* ¿Cuál es el aspecto más relevante de lo que ya sabes?, ¿y las lagunas más importantes?, ¿qué es lo que es importante que averigües? Repasa ambos diagramas e inmediatamente haz una lista de lo que anotaste en las flechas según la importancia que tenga. Pon entre paréntesis las cosas que no son tan importantes para el trabajo. Otra opción sería tacharlas o borrarlas, pero a veces va bien tenerlas a la vista para no olvidarte de lo que en principio habías considerado importante.

7. *Ahora ya puedes empezar a redactar el trabajo.* No empieces por el principio; simplemente empieza. Anota algo en un papel o en el ordenador; esto te servirá de borrador para una pequeña parte de todo el trabajo. Luego puedes pasar a hacer una o dos cosas de las que tanto te apetecían y que todavía estarías haciendo si no hubieses tomado la inteligente decisión de empezar por lo más importante. En este sentido, hay que decir que, por muy extraño que parezca, las actividades de dispersión resultan menos atractivas una vez que se ha empezado seriamente a trabajar.

9

Seguir el temario

La información acerca de tus temarios estará disponible en algún lugar. Lo más habitual es proporcionar al estudiante un manual que especifique detalladamente los requisitos de cada crédito o unidad. Esta información suele facilitarse a comienzos de curso y puede que también esté disponible a través de una página web, ya sea en una intranet como en Internet. Son muchas las cosas que puedes hacer para seguir el temario y no convertirte en un receptor pasivo. Las siguientes ideas te ayudarán al respecto.

1. *Recuerda que, al fin y al cabo, se trata de* tu *temario.* Tú eres quien deberá aprender los contenidos, puesto que se supone que los profesores ya lo hicieron en su día. Así que asegúrate que te han quedado claros todos los detalles del temario y, a medida que avance el curso, ve controlando los temas ya dados y los que faltan por dar.

2. *Lee detenidamente cuáles son los objetivos que se persiguen.* Casi todos los temarios especifican los objetivos que se espera que los estudiantes hayan alcanzado al finalizar una unidad temática. En este sentido, tú eres el principal protagonista.

3. *Averigua qué es lo que se espera que ya sepas hacer.* Los contenidos de los temarios no suelen empezar de cero. En muchos casos se especificará información, como, por ejemplo, «Conocimientos y aptitudes indispensables», que a su vez deja claro lo que

se asume que el estudiante ya sabe al empezar un crédito o una asignatura. Asegúrate de que estás preparado para una determinada asignatura y, si tienes lagunas, ponte al día por tu cuenta.

4. *Los exámenes no deberían contener sorpresas desagradables.* Las universidades relacionan todos los elementos de evaluación con los objetivos de aprendizaje especificados en los programas. Si sabes que puedes llegar a hacer todo lo que te has propuesto, automáticamente deberías poder enfrentarte a cualquier aspecto relacionado con la evaluación.

5. *Básate en el temario para decidir cuáles son los libros que comprarás o pedirás prestados.* Sobre todo cuando tengas que comprarte libros, más que el precio, ten en cuenta cuáles abarcan los aspectos esenciales del temario: un libro puede ser caro y encima contener sólo unas pocas páginas relacionadas con el programa de la asignatura.

6. *Utiliza el temario para saber cuál es el siguiente tema.* Puede ser que el profesor comente la parte que le corresponda de un temario, pero todavía te ayudará más si tú mismo te encargas de hacer el seguimiento de la asignatura (lo que se ha dado, lo que se está dando y lo que queda). Cuando sabes qué se tratará a continuación, tu subconsciente empieza a pensar en ello y eso te permite estar más preparado cuando te lo plantean por primera vez en una clase.

7. *Haz un esquema previo.* De vez en cuando, escoge una parte del temario que aún no hayas dado en clase y anota lo que ya sepas acerca del tema. Anota también lo que no sabes en una lista con preguntas cuyas respuestas deberás averiguar. Verás que, después de haber hecho este esquema, estarás mucho más receptivo cuando los profesores expliquen el tema, puesto que tú ya habrás empezado a pensar y a encontrar respuestas a tus preguntas.

8. *Compara los temarios de las distintas asignaturas.* Esto ayuda a ver la relación entre las diferentes asignaturas que estés estudiando. Así entenderás tus estudios como «un todo» en lugar de verlos como partes sueltas sin ninguna conexión. Como resultado, aportarás respuestas y argumentaciones más consistentes tanto a las preguntas de examen como a los trabajos.

9. *Escoge partes del temario para profundizar en ellas por tu cuenta.* Tarde o temprano lo harás con el profesor, pero te sorprenderá ver hasta qué punto entiendes mejor un tema si ya has empezado a estudiarlo por tu cuenta.

10. *Léete el temario de arriba abajo.* Las preguntas de un examen abarcan todos los puntos de un temario, incluso si en clase no ha habido tiempo de verlo todo.

11. *Compara el temario con exámenes que ya hayas hecho.* Debería haber una relación muy estrecha entre lo que se pregunta en un examen y los objetivos de aprendizaje previstos. Analizar las preguntas de un examen te ayudará a entender la función práctica de los objetivos y te permitirá medir los estándares que se espera que hayas alcanzado.

Segunda parte

Clases, laboratorios, ordenadores, dossiers y demás

10

No te limites a *tomar* apuntes, *hazte* apuntes

Los apuntes que tomes en clase (o en cualquier otro momento) representan una de las fuentes más importantes a lo largo de tus estudios. No obstante, muchos estudiantes se limitan a tomar apuntes, lo que ni mucho menos tiene tanto valor como elaborar unos apuntes. A continuación encontrarás unas primeras sugerencias pensadas para que entiendas esta diferencia y para que luego decidas cómo aplicar los apuntes a tu estrategia general para estudiar. Se trata, pues, de consejos relacionados con las clases, donde tomas apuntes por tu cuenta. Después veremos cómo tomar apuntes a partir de otros materiales.

1. *Adopta la idea de que sólo se aprende de verdad con un bolígrafo o un lápiz en la mano.* Claro que si alguna vez vas a una clase sólo de oyente y no necesitas acordarte de todo, no tienes por qué llevar papel ni bolígrafo. Pero a casi todas las clases se va a aprender algo (por lo menos esto es lo que esperan los profesores). Así que necesitarás el bolígrafo para activar tu mente. Ahora bien, no lo uses al tuntún, sino con sentido común. Sigue leyendo…

2. *Hazte los apuntes de tal modo que los puedas archivar.* Un método es insertando una parrilla como la siguiente en la parte superior de la primera página:

Lunes	13	Marzo
10-11	«Los impresionistas: Monet»	Prof. Oakwood

3. *No te limites a copiar, por mucho que los otros lo hagan.* No te limites a copiar al pie de la letra lo que haya en la pantalla o la pizarra, ni lo que dice el profesor. Es muy fácil copiar sin pensar en el contenido, lo que significa estar tomando apuntes y no estar elaborándolos, ya que en este caso no se necesita ningún tipo de reflexión.

4. *Escribe con tus propias palabras.* Esto sí que es elaborar unos apuntes, ya que te verás obligado a reflexionar acerca de lo que estás escribiendo. Es cierto que en alguna ocasión tendrás que copiar algo literalmente (por ejemplo en el caso de una definición exacta o una cita). Pero por lo general tú mismo debes encontrar la esencia de lo que se dice y se muestra a lo largo de una clase.

5. *Ve a buscar el* significado *de las cosas.* Procura no escribir frases largas palabra por palabra, sino resumir lo dicho o mostrado mediante unas pocas palabras que a ti te sirvan. Piensa en lo que te quieren transmitir a través de lo que te están diciendo e intenta captar el significado. Esto te mantendrá receptivo y hará que no te aburras, incluso aunque el tema o el profesor te resulten pesados.

6. *Determina tú mismo cuándo anotar y qué anotar.* No te limites a anotar algo por el mero hecho de que el resto de tus compañeros lo estén haciendo. Asimismo, no te preocupes si eres el único que lo hace, ya que igual al poco rato otros sigan tu ejemplo. Toma apuntes siempre que lo creas conveniente.

7. *Pregúntate qué es lo que se espera que hagas con este material.* Éste es uno de los consejos más importantes de este libro. Cuando te hagas esta pregunta, puedes expresar y conscientemente anotar algo a fin de recordarte qué es lo que parece que se espera de ti. Ve añadiendo indicaciones a tus apuntes (quizá con distintos colores) para que no olvides lo que quizá en algún momento tengas que demostrar que has aprendido de una determinada clase.

8. *Busca pistas. ¿Qué es lo que más importa?* A través del tono de voz, énfasis, lenguaje corporal y repeticiones, un profesor transmite muchas cosas durante una clase. A veces nos dan pistas conscientemente, aunque casi siempre lo hacen inconscientemente. Sea como sea, tú eres el que debe saber qué es lo más importante para conseguir entender y dominar un tema.

9. *Señala los aspectos importantes de tus apuntes.* Procura estructurar las páginas de tal modo que posteriormente puedas reconocer al instante las principales ideas y conceptos. Utiliza colores, rotuladores fluorescentes, casillas, dibujos, y otros recursos que sirvan para resaltar lo más importante. Las notas que saques en evaluaciones y exámenes estarán relacionadas con los aspectos más importantes. A lo largo de las clases, cuando todavía estás a tiempo de hacer preguntas y consultar, deberá quedarte claro cuáles son estos aspectos, puesto que semanas más tarde te resultará mucho más complicado ver lo que es más importante.

10. *Anota las preguntas que tengas.* Cada vez que no entiendas algo, formúlalo mediante una pregunta y escríbela (quizá te vaya bien utilizar un color concreto para este tipo de preguntas). Una vez que hayas reunido unas cuantas dudas, tú mismo puedes intentar encontrar las respuestas correspondientes o bien preguntar al profesor. Si no las escribes, al cabo de unas horas te olvidarás y, como consecuencia, perderás la oportunidad de saber las respuestas.

11. *Anota lo que pienses, sientas y opines.* A menudo, durante una clase, algo provocará que se te encienda una lucecita, pero si no lo anotas puede ser que ni siquiera repasando los apuntes se te vuelva a encender. Hay gente que dibuja una bombilla al lado de la idea que han tenido, para así acordarse de que la lucecita puede volver a encenderse.

12. *Experimenta con la presentación de la página.* Haz que cada página de tus apuntes tenga un aspecto diferente, ya que esto te ayuda a recordarlas. Puede que semanas más tarde, haciendo un examen, se te active la memoria y te venga a la mente el aspecto de una página concreta así como los contenidos que, con un poco de suerte, te servirán para la ocasión.

13. *Compara* tus *apuntes con los de otros compañeros*. Busca a dos o tres compañeros que tengan ganas de mejorar sus apuntes compartiéndolos y comparándolos. De este modo siempre podrás descubrir cosas interesantes que a ti te faltan e incorporarlas a tus apuntes. También podrás cambiar cosas que hayas podido anotar mal. Asimismo, tus compañeros podrán mejorar sus apuntes gracias a los tuyos. Al final todos habréis mejorado vuestros respectivos apuntes, lo que os ayudará en las evaluaciones a las que tengáis que enfrentaros.

11

Aprovecha al máximo el material fotocopiado

Casi todos los profesores repartirán material fotocopiado de aspectos relacionados con sus asignaturas. Lo harán en el transcurso de una clase o también durante unas prácticas, en trabajos de campo, seminarios, etc. Puede ser que en alguna ocasión recibas el material directamente, por ejemplo si los profesores lo cuelgan en una intranet. Las siguientes sugerencias te servirán para aprovechar al máximo este tipo de material y que esto quede reflejado en tus resultados académicos.

1. *Haz* tuyo *este material.* Para empezar, escribe tu nombre, la fecha y el nombre de la asignatura o crédito. Esto te ahorrará problemas cuando posteriormente tengas que localizarlo entre la cantidad de papeles que irás acumulando.

2. *No copies algo que ya aparece escrito en la fotocopia.* Sigue los consejos del apartado anterior acerca de cómo *elaborar* tus apuntes en vez de simplemente tomarlos. Más que duplicar lo que ya aparece en la fotocopia, añade aspectos que puedan ser relevantes. Utiliza tu tiempo y energía reflexionando sobre lo que estás aprendiendo.

3. *No desconectes por el hecho de tener ya una fotocopia.* Esto es algo muy importante, sobre todo cuando los profesores repartan fotocopias de las diapositivas o transparencias que pasen en clase.

Alguna vez reparten fotocopias que contienen tres diapositivas por página, con espacio suficiente para que incluyas notas en los márgenes. Otras veces contienen seis, sin espacio para que escribas. Es peligroso pensar: «Si todo está en la fotocopia, no tengo que pensar durante la clase; luego ya me lo miraré».

4. *Utiliza las fotocopias para destacar aspectos importantes.* A lo largo de una clase se recalcará una y otra vez lo que realmente importa. Utiliza un rotulador fluorescente para destacar estos puntos en las fotocopias. Te irá bien utilizar dos colores distintos: uno para lo que debas consultar posteriormente y otro para indicar lo que debes recordar.

5. *Anota preguntas en los márgenes de las fotocopias.* En varias partes de este libro he hecho hincapié en la importancia que tiene determinar cuáles son las preguntas que debes saber contestar. Durante una clase, si piensas que hay algo que debes saber, anótalo a modo de pregunta en el margen de una fotocopia. Para ello, te irá bien utilizar un color determinado, de este modo luego no te costará identificar las preguntas e indagar acerca de las posibles respuestas.

6. *Archiva las fotocopias sistemáticamente.* Entre otras cosas, te irá muy bien tener en casa un archivador de anillas o de palanca para cada asignatura. Asimismo, ten otra carpeta de anillas para archivar las fotocopias que te vayan dando. En esta misma carpeta también puedes archivar las últimas fotocopias que te hayan pasado y utilizar separadores para distinguir las asignaturas. Este método de archivo agilizará la búsqueda de material. En este sentido, te será práctico ir archivando de vez en cuando cada fotocopia en su carpeta correspondiente.

7. *Si utilizas una carpeta de anillas, cómprate una perforadora.* Los montones de material fotocopiado dan la falsa impresión de poderse ordenar por sí solos. Así pues, haber archivado sistemáticamente todas las fotocopias a la larga te ahorra horas: perforar y archivar fotocopias con una cierta regularidad hace que luego no tengas que perder tiempo buscando algo concreto, por ejemplo, las instrucciones para un trabajo que tengas que entregar a corto plazo, etc.

8. *Imprime documentos y presentaciones de soporte electrónico.* Cuando los profesores cuelguen material en una intranet, es aconsejable imprimirlo y archivarlo en el lugar correspondiente. Habrá veces en las que sólo podrás bajarte e imprimir el material inmediatamente después de una clase. De ser así, es recomendable que te dediques a este material durante uno o dos días, convirtiéndolo en parte del resto de tus materiales mediante la incorporación de anotaciones y preguntas, como se ha sugerido anteriormente. No obstante, si es posible, siempre es mejor imprimir estos materiales antes, para así poder sacar apuntes durante la clase.

9. *Si pierdes una clase, recuerda que la fotocopia correspondiente no sustituye tu presencia.* Incluso cuando asistes a la clase más aburrida del mundo siempre puedes aprovechar el correspondiente material fotocopiado en beneficio de tu aprendizaje. Si no puedes asistir a una clase pero consigues las fotocopias que se han repartido, procura ponerte al día como si hubieses estado allí. Lee, por ejemplo, los apuntes de dos o tres compañeros, sobre todo los de aquellos que pongan en práctica el sistema del que hemos hablado antes.

10. *No te limites a* leer *las fotocopias cuando estudies;* formula preguntas a partir de los contenidos e intenta encontrar las respuestas. Asimismo, prepárate resúmenes que te ayuden a resumir los contenidos de tus cada vez más numerosas fotocopias. Hazlo de tal modo que estos resúmenes y preguntas se conviertan en materiales de estudio primordiales. De este modo sólo de vez en cuando necesitarás consultar las fotocopias originales para buscar algo muy concreto.

12

Sacar el máximo partido del trabajo práctico

Uno de los aspectos más agradecidos de estudiar muchas asignaturas es el trabajo práctico. Esta clase de trabajo te ofrece la oportunidad de relacionar la teoría con la práctica y lo mejor de todo es que suele ser ameno. Sin embargo, es muy importante mantener un cierto equilibrio entre el trabajo práctico y otras obligaciones que puedas tener. Los siguientes consejos te servirán para adoptar una buena estrategia al respecto.

1. *No empieces «en frío» un trabajo práctico.* Procura preparártelo, aunque sólo sea durante unos pocos minutos. Si previamente has recibido instrucciones por escrito sobre el trabajo, léetelas bien y comprueba si se espera que ya poseas unos determinados conocimientos teóricos para abordar la tarea.

2. *Determina cuál es el objetivo del trabajo práctico.* Los trabajos prácticos tienen una razón de ser. Por este motivo, es importante que tengas en cuenta los objetivos de aprendizaje directamente vinculados a una práctica.

3. *Mantén los apuntes ordenados.* Es recomendable que tengas todos tus apuntes en un mismo cuaderno en vez de en hojas sueltas, puesto que es más difícil que pierdas un cuaderno. Aunque a lo largo de la práctica te repartan fotocopias para que las devuelvas completadas, conserva siempre en tu propio cuaderno los apuntes correspondientes.

4. *No te olvides de anotar la fecha y el nombre de la actividad.* Esto hará que en semanas posteriores, cuando tengas que redactar el trabajo, te resulte más fácil relacionar los apuntes que correspondan a una práctica determinada. De este modo evitarás confusiones.

5. *Anota tus observaciones.* En el cuaderno, anota con exactitud lo que vayas descubriendo, aunque no sepas lo que significa. Para recordar detalles, no te fíes de la memoria: déjala para aspectos más importantes y anota escrupulosamente lo que vaya sucediendo a lo largo de la práctica.

6. *Infórmate acerca del tipo de informe o crónica que debes entregar.* Lee la documentación de la asignatura para enterarte de los detalles relacionados con la redacción del informe y lo que todavía es más importante: pregunta a tus tutores qué es lo que les interesa de los informes de la práctica. A veces te pedirán que redactes un informe entero, mientras que en otras ocasiones puede que sólo te pidan un memorando o informe breve.

7. *Procura trabajar en plazos de un día.* Si es posible, procura redactar estos informes, o por lo menos un borrador, en las veinticuatro horas siguientes a la práctica. Así te ahorrarás muchas horas, ya que cuesta mucho menos redactar informes cuando todavía tienes fresco lo que hiciste en la práctica y entiendes todo lo que anotaste.

8. *Primero acaba las partes «centrales» de tu informe,* las que suelen incluir apartados dedicados al método o procedimiento, observaciones, información, análisis de la información, etc. Éstas son las partes que debes plasmar en papel (o en el ordenador) mientras todavía tengas la práctica fresca.

9. *Ten especialmente en cuenta cómo se interpretará lo que hayas investigado.* Casi todas las notas se ponen en función de cómo se interpreta el trabajo y no sólo por lo que es el trabajo en sí.

10. *Llega a conclusiones claras.* En la mayoría de los casos, un trabajo práctico debe llevar a una o más conclusiones y éstas deben explicitarse en el informe (por norma general hacia el final, pero antes de cualquier apéndice). Si especificas claramente las conclusiones, tendrás más posibilidades de sacar mejor nota.

11. *Sé especialmente meticuloso con los márgenes de error.* Quizá ya te hayan explicado cómo calcular los efectos del origen del error experimental y, en la conclusión, cómo llevar a cabo el análisis de los efectos estadísticos de estas causas de error.

12. *Compara lo que hayas investigado con información ya publicada.* Siempre que puedas, especifica en el informe la coincidencia (y también la divergencia) entre tus conclusiones y la información ya publicada, sin dejar de incluir debidamente las referencias bibliográficas correspondientes.

13. *Evita a toda costa que se te acumulen las redacciones de los informes.* Cuando se acumula el trabajo, un informe se junta con otro y eso hace que cueste más redactarlos adecuadamente. Además, cuando se acerque la época de exámenes lo que menos te conviene es tener que enfrentarte a tanta cantidad de trabajo relacionado con las prácticas.

14. *Entrega los informes en la fecha acordada o antes.* Los profesores dicen que los trabajos que se entregan puntualmente suelen estar bastante mejor que los que se entregan tarde.

15. *No seas perfeccionista.* Entrega los informes aunque no te acaben de convencer. Un informe entregado en la fecha establecida, aun siendo mediocre, tiene más posibilidades de aprobar, aunque sea por los pelos, que un informe perfecto que no se entrega, lo que equivale a un cero.

13

Utilizar material de autoaprendizaje en soporte impreso

Los temarios de algunas asignaturas prevén el uso de materiales de autoaprendizaje. Existe la posibilidad de estudiar la totalidad de una asignatura a través de este sistema: en el Reino Unido, por ejemplo, existe la Universidad Abierta, que ofrece títulos y programas de posgrado mediante el sistema de autoaprendizaje. Los siguientes consejos deberían servirte para que encuentres tus propias vías de estudio y aproveches al máximo esta variedad de aprendizaje.

1. *Escoge tú mismo la jerga relacionada con el autoaprendizaje.* El «aprendizaje abierto» se refiere a la forma de aprender que no se lleva a cabo ni en clase ni en tutorías o seminarios sino a través de materiales pensados para ello, ya sea en soporte impreso o por ordenador. Esta clase de aprendizaje permite escoger cuándo, dónde y durante cuánto tiempo se estará estudiando. En este sentido, también permite decidir qué estudiar. El «aprendizaje flexible» es otro término utilizado para esta metodología de estudio. A veces también recibe el nombre de «aprendizaje a distancia» (éste es el caso de la Universidad Abierta, en el Reino Unido, cuyos estudiantes no asisten a clase en la sede de Milton Keynes). Si te encuentras lejos de la universidad por motivos de trabajo, puedes seguir estudiando igualmente. La terminología utilizada para denominar este método de estudio incluye otros nombres como por ejemplo «vías

de autoaprendizaje» o «módulos de aprendizaje a distancia». Todas estas denominaciones están centradas en el aprendizaje y no en la enseñanza.

2. *Infórmate acerca del valor del autoaprendizaje que debas hacer.* Entre otras cosas, puedes averiguar cuántos créditos vale y si éstos se corresponden a los de una asignatura convencional; cuántas horas ocupará estudiar algo concreto mediante este método; cómo puedes distribuirte el tiempo (sobre todo no lo dejes para justo antes de los exámenes); si los contenidos del autoaprendizaje en el examen se valorarán igual que las otras partes de la asignatura; el tiempo del que dispones, o si a lo largo del autoaprendizaje tendrás que hacer trabajos puntuables.

3. *Organízate lo que se supone que ya has aprendido.* Casi todos los materiales de autoaprendizaje especifican una serie de prerrequisitos, es decir, conocimientos o capacidades que se supone que ya debes tener. De ser así, empieza directamente con el autoaprendizaje. Si no es el caso, deberías superar la laguna buscando los recursos necesarios, como por ejemplo libros o clases, que te ayudasen a ponerte al día para luego estudiar con los materiales de autoaprendizaje.

4. *Infórmate de los objetivos o resultados que se esperan.* Éste es un aspecto que todo buen material de autoaprendizaje suele especificar. Al estudiante se le explica en qué consisten los contenidos pero, por encima de todo, se le ofrece información acerca del nivel que se espera que alcance como resultado del aprendizaje. Estas explicaciones a menudo se presentan mediante frases como: «Cuando hayas completado esta unidad, deberías poder…», seguidas de una lista con los conocimientos que habrás adquirido y podrás demostrar.

5. *«Aprender haciendo» es la filosofía de los materiales de autoaprendizaje.* Lo mejor de esta clase de materiales es que incluyen actividades para que las hagas a medida que avances. Éstas pueden ser ejercicios, test, preguntas, etc. Lo más importante en todos los casos es hacer en vez de limitarse a leer.

6. *Los buenos materiales de autoaprendizaje no sólo requieren que hagas algo,* sino que a medida que avanzas con las actividades te orientan acerca de tu trabajo. Las preguntas, por ejemplo, irán acompañadas de soluciones, por lo que podrás comparar lo que has hecho con lo que hubieses debido hacer.

7. *Acuérdate de que no se espera que te aprendas todos los contenidos del material.* Los materiales de autoaprendizaje suelen contener mucha información. El objetivo es que parte de esta información se convierta para ti en conocimientos. La información vendrá dada en forma de explicaciones, lecturas y materiales preparatorios, etc. Lo realmente relevante son, como ya hemos subrayado anteriormente, los objetivos de aprendizaje y las actividades.

8. *Cuando llegues a una actividad, hazla.* No te la saltes y vayas directamente a comprobar la respuesta, puesto que así se aprende muy poco. Procura hacer todas las actividades e intenta no caer en la tentación de comprobar cuál es la respuesta para ver si lo que pensabas era más o menos correcto. Siempre aprenderás mucho más haciéndolo de verdad y luego viendo si lo has hecho bien o no.

9. *Alégrate ante algo que hayas hecho bien.* No olvides lo que has hecho bien, puesto que quizá se trate de un conocimiento que posteriormente puedas aplicar en un examen o trabajo. Asegúrate de que al día siguiente lo seguirás sabiendo hacer, y al otro también, especialmente si ya has retenido lo que es importante.

10. *Si ves que has hecho algo mal, alégrate todavía más.* Comprueba la respuesta y averigua dónde fallaste exactamente; piensa por qué te equivocaste. Así seguro que la próxima vez no volverás a equivocarte, del mismo modo que tampoco te equivocarás en el examen o trabajo. Sin embargo, es recomendable al día siguiente que te asegures de que ya te sale bien, y así sucesivamente.

11. *Trabaja con los materiales de autoaprendizaje en un entorno tranquilo.* Con los materiales de autoaprendizaje, el único que sabe si te has equivocado eres tú. Esto te permite aprender de tus errores sin tener que ponerte nervioso: sin duda alguna ésta es una de las principales ventajas del autoaprendizaje respecto a las actividades en el aula.

12. *Ve repasando.* Uno de los peligros del autoaprendizaje es el de avanzar sin mirar hacia atrás para repasar lo que ya se ha visto. Los conocimientos que adquieras con las actividades y comparando tus aportaciones con las soluciones a las respuestas sólo te quedarán en la cabeza si repasas. No cuesta nada echar un vistazo de vez en cuando a lo que ya hayas hecho y vale la pena invertir el tiempo en ello.

13. *Controla lo que te queda por hacer.* Con el material impreso (a diferencia del que debe trabajarse con el ordenador), resulta fácil mirar qué es lo que queda por hacer, hacia dónde se dirigen los contenidos que todavía no has visto, etc. Comprobar lo que aún queda por hacer suele ayudar a entender lo que se está haciendo en un momento determinado y, cuando se entiende por qué se está haciendo algo, resulta más fácil concentrarse en ello. Por lo tanto, conviene tener una visión general para saber ubicar los conocimientos que se adquieren en un momento concreto. Se trata de algo parecido a un puzzle: no se pueden colocar más de dos piezas a la vez, pero el juego resulta imposible si no se ve dónde va cada pieza.

14. *Aprovecha la independencia que te brinda el autoaprendizaje.* Los materiales de autoaprendizaje te permiten estudiar cuando te vaya bien. Utilízalos, por ejemplo, cuando quieras desconectar un poco de algún trabajo o práctica que estés redactando.

15. *Disfruta de poder estudiar en cualquier sitio.* Podrás estudiar con el material impreso en cualquier sitio (en casa, en el tren, en la playa, etc.). Procura trabajar con este material en lugares relajados. Los materiales que requieren ordenador ya no permiten la misma libertad. Así pues, saca el máximo partido en la medida de lo posible.

16. *Si los materiales son tuyos, sácales el máximo partido.* Haz anotaciones, responde a las preguntas, anota las tuyas, las ideas que se te puedan ocurrir, etc. De este modo, cuando los repases posteriormente, te pondrás al día enseguida. Lo que está claro es que si estudias con materiales prestados no podrás hacer lo mismo.

17. *De vez en cuando infórmate sobre el criterio de evaluación.* Si parte de lo que has estudiado a través del método de autoaprendizaje va a salir en el examen, repasa exámenes anteriores. En el caso de evaluación continua, busca preguntas puntuadas por un profesor. Infórmate acerca de los contenidos del material de autoaprendizaje que tienden a ser evaluados. Quizás haya partes del material que no tengan ninguna relación con la evaluación; de ser así, no pierdas demasiado tiempo con ellas.

14
Sacar el máximo partido a los e-mails

Seguramente ya estás muy familiarizado con los e-mails y los usas a menudo para estar en contacto con tus amigos. Casi todas las universidades también los utilizan como canal de comunicación entre profesores y estudiantes; asimismo, es un recurso que podría constituir un aspecto importante en alguna de tus asignaturas. Los siguientes consejos te ayudarán a sacar el máximo partido a la comunicación vía e-mail con profesores, compañeros, etc.

1. *Mira el correo con frecuencia.* Si no lo haces, podrías perderte información importante, como por ejemplo las instrucciones que pueda enviarte un profesor para la elaboración de un trabajo, cambios de horario, observaciones y trabajos evaluados, así como planes con amigos, etc.

2. *Haz una lista de direcciones.* Algunos sistemas te lo facilitan automáticamente, permitiendo que guardes las señas de aquella persona a quien envías un e-mail. Pero en la mayoría de los casos tú eres quien debe añadir en la libreta de direcciones las señas de los contactos, entre ellas las de tus profesores. Las direcciones suelen añadirse mediante un doble clic en el apartado del e-mail donde se indica el remitente.

3. *No pierdas tu lista de contactos.* De vez en cuando, imprime o graba tu libreta de direcciones en un disquete. No siempre resulta

fácil mover las libretas de direcciones entre sistemas, por lo que hacer copias para guardar direcciones puede ahorrarte trabajo.

4. *Averigua cuál es la mejor hora para usar los ordenadores.* En horas punta, puede que tengas que esperar mucho rato en la cola para acceder a un ordenador y precisamente perder tiempo no forma parte de tu estrategia de aprendizaje. En cambio, existen momentos en los que las salas de ordenadores están menos concurridas. Si no te queda más remedio que hacer cola, aprovecha la espera haciendo algo, como por ejemplo repasar los aspectos más importantes de un tema concreto, cuyos apuntes ya habrás preparado previamente.

5. *Cuida el lenguaje.* El e-mail es un medio de comunicación informal, pero incluso así es importante que adaptes el tono y estilo de lenguaje cuando envíes un e-mail a un profesor, puesto que los tonos demasiado «relajados» pueden molestar. Asimismo, muchas universidades tienen códigos bastante estrictos por lo que se refiere al envío de material ofensivo mediante el correo electrónico e incluso pueden llegar a expulsar a un alumno que haya enviado algo realmente ofensivo a través del sistema.

6. *No acumules demasiados correos en la bandeja de entrada.* Si tienes acumulada una gran cantidad de e-mails en tu bandeja de entrada, encontrar algo importante que ya tenga unas cuantas semanas se convertirá en una tarea imposible. Casi todos los sistemas facilitan la creación de carpetas y subcarpetas, y vale la pena archivar en ellas los correos que vayas recibiendo. De este modo te será mucho más fácil encontrar algo que debas volver a leer. Si utilizas el e-mail en más de una asignatura o crédito, vale la pena que crees carpetas separadas; hazlo también para tus distintos contactos.

7. *No acumules demasiados correos en la bandeja de salida.* Una vez que ya hayas creado carpetas para tus contactos y asignaturas, de vez en cuando vale la pena que te dediques a organizar los mensajes enviados en las respectivas carpetas para que de este modo te cueste menos encontrar algo que hayas enviado.

8. *Procura que el servidor no te deje sin espacio.* Seguramente el servidor de la universidad te ofrecerá un espacio limitado. Si llegas a ocuparlo todo, los mensajes que te envíen serán devueltos al remitente sin que tú los hayas leído. Quizá no te enteres de ello hasta que quieras enviar un e-mail a alguien.

9. *Procura hacer copias de lo que sea importante,* como por ejemplo de las instrucciones para la elaboración de trabajos, cambios de horario, etc. Puedes copiar este tipo de información en un disquete o en tu disco duro. Evitar las situaciones de desesperación por recuperar información que sólo podías consultar mediante el servidor de la universidad.

10. *Medita los títulos de los mensajes.* Si no pones título al e-mail que vayas a enviar, puede que el remitente no se moleste en leerlo. Lo más adecuado es poner un título interesante que suscite la curiosidad del remitente para que éste abra el mensaje. Asimismo, lo más lógico es que haga referencia al contenido del e-mail. Si contestas a un e-mail, el título por norma general quedará reproducido con «re:...», lo cual es muy útil. Procura que los títulos no tengan más de tres o cuatro palabras, ya que es probable que al receptor sólo le llegue una parte del título.

11. *No escribas e-mails demasiado largos.* Casi todo el mundo se limita a leer lo primero que aparece en pantalla. Por este motivo es mejor que transmitas lo principal de tu mensaje en las primeras líneas. Si quieres que el receptor imprima o copie el mensaje, indícalo al comienzo.

12. *Envía lo que sea voluminoso como documento adjunto.* Si tienes que enviar algún documento voluminoso (hojas de cálculo, fotos, etc.), aunque a veces es posible copiarlos directamente en el e-mail, siempre es mejor hacerlo como documento adjunto. Envíate una copia a ti mismo, para así comprobar si los documentos adjuntos han llegado con el mensaje. Si en el mensaje explicitas las palabras «Ver documento adjunto», mejor que realices inmediatamente la acción de adjuntar, de lo contrario luego podrías olvidarte, como a mí me ha pasado en alguna ocasión.

15

Recursos multimedia

Algunas disciplinas ofrecen la oportunidad de participar en actividades mediante recursos multimedia. Los formatos pueden ir desde los más sofisticados (como es el caso de las pantallas gigantes) a simples foros de debate por e-mail. Si tienes la oportunidad de utilizar estos recursos, las siguientes sugerencias pueden ayudarte a aprovecharlos.

1. *No estés siempre de mirón:* participa. El término «mirón» hace referencia a aquellos que se pasan el día observando lo que ocurre en una videoconferencia o foro de debate pero que nunca participan. Algunos sistemas de software permiten mostrar quién está conectado a una conferencia en un momento determinado, o sea, que el resto de los participantes podrían darse cuenta de tu presencia.

2. *Procura que tus contribuciones sean breves y estén bien enfocadas.* Es bien sabido que casi todo el mundo se limita a leer las dos primeras líneas de un correo electrónico o contribución a un foro de debate, a no ser que el tema suscite un verdadero interés. Así pues, si quieres que la gente lea todo lo que quieres decir, asegúrate de que las primeras líneas sean interesantes y pertinentes.

3. *Entérate de si tu participación forma parte de la evaluación.* A veces, las participaciones en un foro de debate o en una videoconferencia forman parte de la evaluación de una asignatura. Cuan-

65

do sucede esto, lo que principalmente se suele tener en cuenta es las veces que hayas participado en un espacio de tiempo específico.

4. *No abuchees a la gente*, es decir, aunque estés en desacuerdo con la contribución de alguien en una conferencia o foro de debate, no debes expresarlo de un modo ofensivo o insultante. Una situación así no sólo comporta el riesgo de ofender a quien realizó la contribución, sino de que también lo vean el resto de participantes.

5. *Averigua si el sistema permite recuperar los e-mails,* ya que a veces es posible y puede serte útil si, tras haber enviado una contribución, todavía no estás seguro de los contenidos. No obstante, la mayoría de sistemas no permiten estos lujos, así que, como norma, es mejor que te asegures de estar completamente satisfecho con una contribución antes de enviarla. Algunos sistemas te permiten guardar borradores en una carpeta aparte y volver a ellos posteriormente, antes de enviar la contribución definitiva.

6. *Haz preguntas.* Una de las maneras más efectivas de participar activamente en un foro de debate es formulando preguntas, mejor que respondiendo a las ideas de otros participantes. Ahora bien, debes asegurarte de que las preguntas van a ser cortas, precisas y directas. El problema de las preguntas complejas es que nadie se para a pensar lo que quieren decir, por lo que no generan tanto debate como lo harían dos o tres preguntas equivalentes pero más cortas.

7. *Entérate de la ubicación de las impresoras.* Puede que haya una impresora al lado del ordenador. Si no es así, seguro que habrá alguna en otra sala o edificio. Asimismo, es muy posible que tengas que pagar por las impresiones. Éstos son detalles de los que vale la pena informarse antes de decidir si te conviene imprimir parte del debate a modo de futura referencia y cuándo hacerlo.

8. *Averigua cómo guardar las contribuciones.* Graba en un disquete o bájate las contribuciones que te parezcan interesantes y luego archívalas en tu ordenador. Primero comprueba si esto es posible, ya que quizá tu ordenador no lea archivos bajados de Internet. Si guardas contribuciones con regularidad, deberás ordenarlas debidamente, ya que el título y la fecha quizá no basten para luego re-

conocer qué contribución contenía esa perla de sabiduría que decidiste guardar.

9. *Infórmate acerca de cómo abrir un nuevo debate.* No cuesta nada responder a mensajes ya existentes, pero a veces vale la pena dar pie a un nuevo tema. Para ello, primero deberás pensar en un título, que no debería ser excesivamente largo, ya que, de lo contrario, será más difícil leerlo en la pantalla, sobre todo en el caso de una lista con sangría. Asimismo, procura que sea lo más claro posible, para que de este modo aquellos que elijan apuntarse a tu contribución sepan de qué va.

10. *Encuentra el momento adecuado para introducir un tema nuevo.* Los nuevos temas suelen surgir a partir de temas anteriores. Lo que puede suceder es que un tema quede estancado porque quizá no parezca que esté invitando a debatir algo nuevo. Por este motivo, vale la pena incluir en la respuesta una frase del tipo «Voy a abrir un nuevo tema llamado [nombre] para continuar con la idea de...».

16

Familiarizarte con el ordenador

Si tienes ordenador, seguro que ya estás familiarizado con el software de procesamiento de textos. De no ser así, lo más probable es que tengas que hacerlo durante tus estudios. De hecho, quizá te pidan que entregues parte de los trabajos, si no todos, pasados a ordenador, o incluso que los remitas por e-mail. Las siguientes sugerencias deberían animarte a aprovechar estos recursos para así aprender a producir buenos documentos.

1. *No tengas miedo de estropear el ordenador.* Como todos los aspectos relacionados con los ordenadores, son muy pocas las probabilidades que tienes de estropear el tuyo (siempre que no te llegues a frustrar tanto que termines defenestrándolo).

2. *¿Qué beneficios puedes obtener?* Saber mecanografiar y utilizar un buen procesador de textos deberían formar parte de tus prioridades. Estas habilidades harán que ahorres tiempo al buscar trabajo, al actualizar tu currículum o al comunicarte por correo electrónico, además de abrirte más puertas cuando estés buscando trabajo. Hoy día ya quedan muy lejos los tiempos en que todo el mundo tenía una secretaria que se encargaba del papeleo: actualmente, incluso los directores ejecutivos mecanografían muchos de sus documentos, especialmente los de carácter confidencial.

3. *¿Qué es lo* peor *que puede pasarte?* A todo el mundo le pasa

tarde o temprano, aunque sólo pasa una vez: un día habrás estado redactando un documento durante horas, tan concentrado que ni habrás pensado en ir grabándolo, y el ordenador se parará, o se irá la luz, o alguien tropezará con el cable y te desconectará el ordenador, etc. En pocas palabras: perderás lo que habías hecho. Podrías recuperarlo, aunque no siempre es así y te verás obligado a empezar de cero. A todos nos ha pasado, aunque sólo una vez. A partir de ahora, ve guardando lo que estés haciendo cada pocos minutos.

4. *Tampoco tienes por qué estar guardando el documento todo el rato.* Utiliza la opción «Guardar como…». El documento que ahora mismo estoy escribiendo (y que tú estás leyendo) se titula «Consejos para procesador de textos 1». Dentro de unos minutos lo guardaré como «Consejos para procesador de textos 2», y así sucesivamente. Cuando llegue a «Consejos para procesador de textos 14» igual ya será hora de que lo llame «Consejos para procesador de textos definitivo». La ventaja de ir guardando un documento bajo distintos nombres es que permite consultar las distintas versiones. Si por ejemplo omites un párrafo entero en un trabajo y luego te lo repiensas y lo quieres volver a incorporar, sólo podrás hacerlo mediante este método. Si, en cambio, te has limitado a utilizar la opción de «Guardar…», habrás ido perdiendo las distintas versiones.

5. *Controla los nombres de los archivos.* Si utilizas mucho el procesador de textos, uno de los problemas más frecuentes es olvidar el nombre de un documento con el que habías estado trabajando la semana anterior. Una manera de buscarlo es por la fecha, aunque lo más conveniente es utilizar títulos claros.

6. *No te dejes asustar por todas las funciones que puede realizar el procesador de textos.* Pocas personas, por no decir nadie, utilizan todas las funciones de un programa de procesamiento de textos. La gran mayoría se limita a una pequeña parte de estas opciones. Para casi todos los propósitos, como por ejemplo la elaboración de trabajos o informes, basta con las opciones más elementales, por lo que no es necesario que te estudies todos los menús y que te angusties pensado qué es lo que harás con todo ello.

7. *Desarrolla tus habilidades con el teclado.* Si tienes tiempo y energía para convertirte en un buen mecanógrafo (es decir, para utilizar todos los dedos), a la larga te ahorrará mucho tiempo. Si luego decides hacer la tesina, seguida de la tesis doctoral para después acabar escribiendo artículos periodísticos, libros y terminar saltando a la fama, saber mecanografiar rápido y bien te ahorrará mucho tiempo y energía. En el mercado hay muchos programas de software para aprender a mecanografiar y adquirir esta habilidad por tu cuenta. Asimismo, muchos centros imparten clases de mecanografía. La ventaja principal es la rapidez: puedes acabar mecanografiando a más velocidad de lo que escribes y sin que la mano se te canse tan pronto.

8. *Aprende a mecanografiar con la práctica.* Aunque no sea lo que más te guste, piensa que irás mucho más rápido si utilizas el ordenador para procesar textos. Antes de pasar a mecanografiar trabajos, empieza a practicar mecanografiando las listas de la compra, las cartas que escribas a tus amigos, los e-mails, los borradores de los trabajos, resúmenes, preguntas y todo lo que pienses que te pueda ayudar.

9. *Pregunta siempre que sea necesario.* Resulta muy útil familiarizarse con un programa de procesamiento de textos de la mano de alguien que ya lo domine. No cabe duda de que puedes leerte el manual de instrucciones que acompaña al software, o los distintos menús de ayuda que contiene el programa, pero todavía funciona mejor la ayuda de alguien que sabe cómo se hace lo que tú quieres hacer.

10. *Conviértete en tu propio editor.* Desarrolla tus habilidades como editor. Las funciones más útiles en este sentido son las de «copiar», «cortar» y «pegar». Puedes utilizar el ratón para seleccionar una palabra o frase, e inmediatamente moverlo hacia arriba o hacia abajo y situarlo en otra parte del documento. Esto es mucho más fácil que tener que copiar de nuevo un párrafo entero.

11. *Ve imprimiendo a medida que haces tus trabajos para ver cómo quedan.* Hay ciertos aspectos de la edición que podrás hacer

desde la pantalla, pero también habrá veces en las que deberás comprobar cuál es el aspecto de toda la página antes de realizar cualquier cambio.

12. *Guarda una copia impresa de todo lo que sea importante.* En el peor de los casos (que te robasen o se te estropease el ordenador, que el disco duro se estropease, etc.), no estará todo perdido si como mínimo has guardado una versión del trabajo que lleves hecho. En un caso así, no te quedaría más remedio que volver a redactarlo todo, pero por lo menos no tendrías que volver a pensar. Asimismo, podrías escanearte el documento impreso y pasarlo al formato original mediante el sistema de software OCR (reconocimiento óptico de caracteres).

13. *Incorpora, si lo crees conveniente, el nombre del documento mediante un encabezado o pie de página,* lo que significa que cada vez que imprimas una parte de lo que estás escribiendo sabrás de qué borrador se trata por la página. Los encabezados y pies de página te permiten incorporar la fecha, algo que también puede ayudarte. De este modo no tendrás problemas cuando posteriormente quieras saber a qué borrador pertenece una parte concreta de un documento.

14. *No te preocupes demasiado por la ortografía.* La versión definitiva de un trabajo o informe no debe contener faltas de ortografía. En este sentido, puede ayudarte mucho el corrector que incluya el programa. Sin embargo, cuando te encuentres elaborando los borradores, es mejor no tener en cuenta las faltas. De este modo, al no detenerte ante cada falta, mecanografiarás a más velocidad.

15. *Preocúpate más por la gramática.* Pese a que casi todos los programas también incluyen un corrector gramatical, éste no se utiliza tanto como el ortográfico. Un corrector gramatical indica si una frase es demasiado larga y poca cosa más. Al fin y al cabo, eres tú quien debe controlar los aspectos gramaticales y de puntuación; por este motivo es recomendable que los tengas en cuenta a medida que redactes el trabajo.

16. *Ve acostumbrándote a los aspectos relacionados con el formato.* No debes limitarte a llenar páginas de arriba abajo, sino que debes procurar que la página siga una estética. Incorpora, por ejemplo, títulos y subtítulos, espacios entre párrafos, etc. Experimenta con las distintas fuentes que ofrezca tu programa, aunque es mejor que no utilices demasiados tipos en una misma página, puesto que puede no gustar a la persona que vaya a puntuarte el trabajo.

17. *Ve probando los distintos tipos de letra.* Incluso los procesadores de texto más elementales ofrecen letras en **negrita**, *cursiva*, ***negrita cursiva***, <u>subrayada</u>, **<u>negrita subrayada</u>**, y así sucesivamente. En el caso de ciertas fuentes, algunas de estas posibilidades quedan mejor que otras. En este sentido, también es recomendable no abusar de formatos como la negrita subrayada, ni demasiadas cajas altas, MAYÚSCULAS, etc. Aunque de vez en cuando quede bien escribir una palabra en mayúscula, una frase entera puede intimidar, hasta el punto de ir en contra de las normas de etiqueta de la red (la *netiquette*) y de recibir el nombre de «chillona» en la jerga de Internet.

18. *Contempla matricularte en un curso de informática.* Ésta es una opción que ofrecen muchas universidades a través de los departamentos de informática. A veces no cuesta nada, sólo unas pocas horas de tu tiempo. Eso sí: igual tendrás que matricularte con una cierta antelación. El mejor momento para asistir a estos cursos es cuando utilices a menudo el procesador de textos; así ya tendrás algunas nociones que se repetirán en el curso. Si empiezas a practicar mucho tiempo después de haber asistido al curso, te darás cuenta de que te has olvidado de muchas de las cosas que te explicaron y que entonces entendías perfectamente.

17

Hacer que la tecnología dé resultados

La mayoría de centros ofrecen una amplia gama de cursos prácticos relacionados con los ordenadores, las tecnologías de la comunicación, el correo electrónico, Internet y los diferentes aspectos relacionados con la tecnología actual. Quizá tu carrera los incluya, pero lo haga o no, son muchas las cosas que puedes hacer para aprovechar estos recursos. Los siguientes consejos pueden animarte en este sentido.

1. *No te duermas en los laureles.* Quizá te desenvuelvas muy bien con los ordenadores, el correo electrónico, Internet, etc. Incluso hasta puede que lo hagas mejor que algunos profesores. No obstante, el mundo de las tecnologías de la información y las comunicaciones avanza de forma imparable y tú no puedes permitirte el lujo de perder el tren mientras te dedicas a tus quehaceres universitarios.

2. *Entérate de cuáles son los recursos que te ofrecen, cuándo y dónde.* A través del servicio de información de tu universidad, puedes enterarte de los cursillos dirigidos a estudiantes. Quizá hasta el personal de la biblioteca imparta parte de estos cursillos y te pueda proporcionar información al respecto. Lo más seguro es que se den a conocer mediante trípticos o carteles en los tablones de anuncios. Seguramente uno de los servicios que ofrezca tu universidad sea un

cursillo de procesamiento de textos, PowerPoint, bases de datos, diseño de páginas web, así como de otras funciones relacionadas con programas de software específicos.

3. *No pienses sólo en lo que te interesa en un momento concreto.* Quizás ahora no tengas la necesidad de saber cómo elaborar una base de datos, pero en un futuro sí podría irte bien. Sea como sea, lo que es cierto es que aprender no ocupa lugar. Constantemente salen al mercado nuevos programas de software, por lo que cuantos más programas domines, más fácil te resultará familiarizarte con uno nuevo.

4. *Si puedes, matricúlate en algún curso.* Quizás algunas universidades requieran la autorización de alguien de un departamento concreto para que un estudiante pueda participar en un curso de nuevas tecnologías. Otro aspecto importante que debes tener en cuenta es que no se solapen los horarios del cursillo con los de tus horas lectivas, especialmente si se trata de tutorías.

5. *Recuerda que estos cursos suelen ser gratuitos.* Un curso de estas características puede costar un ojo de la cara fuera de la universidad. No cabe duda de que estás ante la gran oportunidad de prepararte para algo muy útil sin que te cueste nada, excepto algo de tiempo. En un futuro, cuando tengas que empezar a buscar trabajo, en tu currículum podrás hacer constar esta formación, que por supuesto se valorará.

6. *Matricúlate pronto.* Estos cursos tienen mucho éxito, por lo que enseguida se llenan. Se trata de una formación que requiere el uso de ordenadores, así que las plazas son limitadas. Si consigues matricularte, no te saltes clases: teniendo en cuenta que la demanda de este servicio es muy elevada, no está nada bien visto que alguien no asista a clase.

7. *Sé puntual.* El éxito de un cursillo de estas características puede depender en gran medida de la puntualidad de los alumnos inscritos. Por ello es importante no perderse los primeros minutos, ya que es entonces cuando el profesor suele repartir fotocopias e información importante.

8. *Tómatelo como un pasatiempo.* Es muy positivo dedicar un día a una actividad que no tenga nada que ver con tus estudios. Sin embargo, no te dejes llevar demasiado: pásatelo tan bien como puedas, pero piensa que cuanto más te esfuerces, más provecho obtendrás.

9. *No sientas vergüenza si tienes que pedir ayuda.* Por norma general, el nivel de los inscritos en un curso de estas características suele ser variado. Algunas personas apenas necesitarán ayuda, mientras que a otras les costará bastante. Si viene al caso, pide ayuda a algún compañero que tengas cerca. Asimismo, ofrécete si alguien necesita ayuda. No hay nada mejor que enseñar a alguien a hacer algo con el ordenador para que tú no lo olvides.

10. *No seas demasiado crítico con las clases.* Puede que en alguna sesión te pidan que rellenes un cuestionario aportando tu opinión sobre el cursillo. Quizás en otras ocasiones hayas tenido profesores mucho más capacitados; sin embargo, en vez de intentar cambiar el curso que estés haciendo ahora, lo más importante es sacarle el máximo provecho. Las personas que dirigen estos cursos suelen ser expertos informáticos y a veces están poco familiarizados con la docencia. De hecho, esto es algo que también puede decirse de algunos profesores universitarios.

11. *«¿Y qué hago si no hay ningún cursillo que se adecue a mis intereses?»* Si este fuese el caso, busca alternativas. Quizá no muy lejos haya algún centro municipal que ofrezca cursillos nocturnos, aunque pagando. De todos modos, los cursos en centros de este tipo no están pensados para millonarios.

12. *No dejes perder otra ocasión.* Cuando te encuentres ante el ordenador en una de las sesiones, es muy probable que estés en una curva de aprendizaje rápida, adquiriendo nuevas habilidades con el software que estés utilizando. Sin embargo, al cabo de dos semanas puede que ya hayas olvidado los puntos más importantes y que tengas dificultades para recuperarlos. Lo ideal es ir encontrando ratos para practicar. Si existe la posibilidad, resérvate unas cuantas horas en la sala de ordenadores.

13. *Procura poner en práctica lo que has aprendido.* Si por ejemplo has hecho un cursillo sobre algún programa de procesamiento de textos, practica resumiendo o pasando tus apuntes a ordenador. Si has hecho un cursillo de PowerPoint, practica preparando presentaciones; así, cuando tengas que hacerlo de verdad, serás mucho más eficiente.

18

Plasmar tus reflexiones sobre papel

Siempre es útil saber cómo avanza tu aprendizaje, lo que anteriormente hemos llamado «encontrarle el sentido a algo» o «asimilar». En este sentido, puede que en alguna ocasión te pidan que reflexiones acerca de tu aprendizaje. Quizá te pidan que elabores unas reflexiones como parte de un dossier para tus estudios. «¿Cuál es el sentido de la palabra *reflexión* en este contexto?, ¿cómo puedo llevar a cabo esta reflexión?, ¿cómo sabré si lo he hecho bien?» son preguntas que los estudiantes suelen hacer a propósito de este proceso, del mismo modo que suelen preguntar: «¿Cómo puedo demostrar que mis reflexiones han sido fructíferas?, ¿qué es lo que considerarán pruebas satisfactorias de mis reflexiones?». La respuesta breve a muchas de estas preguntas es que la mejor manera de reflexionar es haciéndose preguntas a uno mismo para luego meditar las respuestas y anotarlas debidamente. Las mejores preguntas, en su mayoría, incorporan partículas interrogativas como *quién, qué, cuándo, dónde, por qué* y *cómo.*

1. *¿Por qué es necesario reflexionar?* La reflexión profundiza el aprendizaje, ya que nos permite entender lo que hemos aprendido, por qué lo hemos aprendido y cómo. Reflexionar es igualmente útil cuando no conseguimos aprender algo. En estos casos, la reflexión nos puede ayudar a ver dónde nos hemos equivocado y qué es

lo que podemos hacer en el futuro para que no nos vuelva a ocurrir lo mismo.

2. *Reflexionar es una capacidad que puede transmitirse,* y además se valora mucho en el mundo laboral. Si una de tus asignaturas requiere la elaboración de un dossier, consérvalo para mostrarlo en futuras entrevistas de trabajo. De este modo, quien vaya a contratarte sabrá más de ti que no a través de tus notas o expediente académico.

3. *¿Por qué va bien anotar las reflexiones?* ¿Hoy has llevado a cabo alguna reflexión? Seguramente sí. Pero ¿la has plasmado de algún modo? Lo más seguro es que la respuesta sea: «Lo siento, pero estoy demasiado ocupado». En este sentido, tienes que tener en cuenta que incluso las mejores reflexiones son efímeras y se evaporan a no ser que nos detengamos un momento y las cristalicemos de un modo u otro.

4. *¿Dónde, cuándo y cómo puedes necesitar plasmar tus reflexiones?* Te será útil plasmar tus reflexiones en el caso de que te hayan pedido que elabores un dossier de seguimiento personal, una tabla de aprendizaje o que anotes tus logros a modo de prueba para que puedas presentarlo a quien te pueda ofrecer trabajo y, lo que es más importante, como proceso práctico que te ayude a profundizar tu actual proceso de aprendizaje mientras éste tiene lugar.

5. *Reflexionar adquiere más sentido cuando se tiene en cuenta pasado, presente y futuro.* Las tres preguntas siguientes, por ejemplo, son mucho más efectivas para la generación de reflexiones que si las hubiésemos formulado por separado:

- ¿Qué te ha funcionado?
- ¿Por qué piensas que te ha funcionado?
- Como resultado de ello, ¿qué vas a hacer a continuación?

6. *Son muchas las preguntas que puedes hacerte para seguir reflexionando.* Deberías entender todos estos consejos como una agenda provisional para la reflexión. Puede que no tengas tiempo de ponerte a responder a estas tres preguntas, o que se te ocurran otras todavía mejores. No obstante, el mejor modo para empezar a reflexionar es barajar toda una serie de posibles preguntas y empezar a trabajar desde este punto. A continuación he incluido una lista de preguntas, agrupadas sin un criterio específico, para que empieces a pensar. Te recomiendo que señales las que te parezcan más relevantes para tus necesidades particulares.

Preguntas para empezar a reflexionar

Pongamos que estás reflexionando sobre algo que acabas de hacer, por ejemplo el trabajo para una asignatura. Las siguientes preguntas te servirán para pensar en ello, y también para saber plasmar tus reflexiones.

- ¿Qué es lo que he conseguido con este trabajo? ¿Cuáles han sido las partes más complicadas y por qué? ¿Cuáles han sido las partes más fáciles y por qué?
- ¿Hasta qué punto he obtenido los resultados esperados para este trabajo? ¿Qué aspectos hubiese podido mejorar? ¿Por qué no lo hice mientras elaboraba el trabajo?
- ¿Qué he aprendido haciendo este trabajo? ¿Qué conocimientos y habilidades he adquirido? ¿Cómo se reflejarán los resultados de este trabajo a la larga?
- ¿Qué otras cosas he aprendido? ¿Qué otros conocimientos y habilidades útiles he adquirido? ¿Qué beneficios he obtenido mediante este trabajo?
- ¿Qué es lo que mejor me ha salido? ¿Por qué? ¿Por qué sé qué es lo que mejor me ha salido?
- ¿Qué es lo que peor me ha salido? ¿Por qué? ¿Por qué sé que no me ha salido bien? ¿Qué es lo que he aprendido de mí mismo a raíz de los fallos? ¿Qué haré la próxima vez para que no me vuelva a ocurrir?
- Desde la distancia, ¿qué aspectos del trabajo cambiaría si tuviese que volver a hacerlo? ¿Hasta qué punto influirá este trabajo en los próximos que tenga que hacer?
- ¿Cuál ha sido el mayor reto que me ha planteado este trabajo? ¿Por qué este aspecto concreto me supuso un reto? ¿Hasta qué punto tengo la impresión de haber logrado este reto? ¿Qué puedo hacer para mejorar mi rendimiento cuando tenga que volver a enfrentarme a un reto similar?
- ¿Cuál fue la parte más aburrida o pesada del trabajo? ¿Puedo entender el sentido de tener que hacer este tipo de trabajos? De no ser así, ¿cómo se hubiese podido plantear para que me hubiese parecido más estimulante e interesante?
- ¿Ha valido la pena el esfuerzo? ¿Es la nota una verdadera recompensa? En el programa general, ¿este trabajo debería valer más o menos nota?
- ¿Tengo la sensación de haber aprovechado el tiempo con este

trabajo? De no ser así, ¿qué hubiese podido hacer en este sentido? ¿O quizás el planteamiento del trabajo hubiese tenido que ser distinto? ¿En qué partes he aprovechado mejor el tiempo? ¿Qué partes pueden considerarse tiempo perdido?

- ¿Hasta qué punto pueden servirme los comentarios que reciba de este trabajo? ¿Qué tipo de comentarios deseo en este momento concreto? ¿Qué tipo de comentarios necesito? ¿Cuáles son mis expectativas por lo que se refiere a los comentarios que reciba (o a la falta de comentarios) así como por lo que se refiere a comentarios de trabajos anteriores?

- A grandes rasgos, ¿en qué medida me ha motivado (o desmotivado) este trabajo para seguir adquiriendo más conocimientos sobre esta parte del temario? ¿Me ha ilusionado o desilusionado?

- ¿En qué medida me ha servido este trabajo para ver lo que todavía tengo que aprender sobre este tema? Después del trabajo, ¿tengo una idea más clara del tema o una idea más confusa? Si la respuesta es negativa, ¿quién puede ayudarme a entenderlo?

- ¿En qué medida me ha ayudado este trabajo a ver cuáles serán los criterios de evaluación para, por ejemplo, los próximos exámenes? ¿Me ha ayudado a ver lo que se espera de mí en un futuro?

- ¿Qué consejos le daría a un amigo que tuviese que empezar a hacer un trabajo parecido? ¿Cuánto tiempo le diría que le dedicase? ¿Qué trampas le diría que intentase evitar?

- ¿Cuáles son los tres aspectos más importantes que ahora debo aplicar a este tema? ¿Cuál de ellos es el más urgente? ¿Cuándo empezaré a abordar la cuestión? ¿Y cuándo terminaré?

19

Elaborar un dossier

Esto es algo que quizá tengas que hacer como parte de una asignatura. Si no es así, puedes saltarte estos consejos; pero igualmente puede que más tarde sí te pidan que elabores y mantengas un dossier con tus trabajos o logros, por lo que siempre puedes repasar estas páginas. Ahora bien, si te piden que empieces a elaborar un dossier y es la primera vez que lo haces, te irá bien seguir estas pautas.

1. *Recuerda cuál es el objetivo del dossier.* Siempre es mejor que empieces a hacerlo por iniciativa propia que no porque sea el requisito de una asignatura. En un futuro, cuando vayas a buscar trabajo, un dossier dirá más de ti que tus notas finales, por muy buenas que sean.

2. *Lee detenidamente los requisitos del formato.* De este modo, irás más guiado cuando tengas que recopilar material para el dossier o incluir comentarios. En este último sentido, los consejos del apartado anterior deberían serte de gran ayuda.

3. *Ten siempre presente los aspectos evaluativos.* Aunque por norma general cualquier aspecto que consideres relevante puede tener cabida en tu dossier, deberás incluir sobre todo material estrechamente relacionado con el criterio de evaluación mediante el cual tu dossier será puntuado.

4. *Empieza a recopilar material inmediatamente.* Gran parte del

contenido de tu dossier procederá de tus tareas diarias, proyecto de investigación, prácticas, etc. El método más eficiente para iniciar un dossier es determinar el tipo de material que te puede ser útil y empezar inmediatamente a recopilarlo como parte de tu trabajo cotidiano.

5. *Determina qué tipo de material vas a necesitar.* Las características del material que recopiles dependerán del tipo de dossier que tengas que elaborar, del tiempo que tengas y de los requisitos especificados en las instrucciones.

6. *Archiva el material sistemáticamente.* No te limites a archivarlo todo en un mismo cajón: lo primero que debes hacer es organizarlo según los apartados del dossier. Para empezar, es recomendable trabajar con varios archivadores y que posteriormente determines dónde va cada cosa.

7. *Determina la presentación del dossier.* Puedes utilizar, por ejemplo, una carpeta de anillas para el material «esencial» (reflexiones principales, etc.) y un archivador con palanca para los apéndices (material «secundario», ejemplos de material que aporten más detalles sobre tu trabajo, etc.). Estos formatos permiten adaptar los contenidos a un dossier o reorganizar el orden mediante el cual se presentan los apartados.

8. *Las fundas de plástico no facilitan la lectura (¡ni la evaluación!).* Pese a que son de gran utilidad para archivar un conjunto de documentos en apéndices, para el lector o evaluador resulta pesado tener que ir extrayendo los documentos de la funda.

9. *Haz listados de los contenidos en sucio.* Determina el orden con el que presentarás los contenidos principales. A veces no existe un orden concreto para títulos y subtítulos, aunque hayas podido pensar en una estructura general para los apartados del dossier. El orden de los títulos y subtítulos dependerá de la naturaleza del trabajo y del tipo de material que desees presentar. A pesar de ello, resulta de gran ayuda haber pensado en un orden antes de redactar la introducción al dossier, es decir, tus reflexiones y comentarios sobre el material que presentas.

10. *Ten en cuenta al receptor.* ¿Quién va a leer tu dossier? Y, todavía más importante, ¿quién va a puntuarlo? Siempre resulta agradable hojear un dossier bien estructurado, puesto que facilita ir hacia delante y hacia atrás. Asimismo, debes procurar que no sea repetitivo, es decir, que no contenga demasiados ejemplos del mismo material.

11. *Deja la introducción para más tarde.* En un dossier, la introducción es un aspecto importantísimo. Como en el caso de los trabajos, informes y otros formatos de material que se va a evaluar, no existen las segundas oportunidades. Si quieres dar una buena impresión, sólo lograrás redactar una buena introducción una vez que tengas más o menos todo el dossier completado. Por supuesto, puedes ir redactando borradores que te abran camino a la versión definitiva; aunque, quizá más que borradores, lo que puede irte bien es elaborar listas o esquemas (como el diagrama ovalado que te he explicado antes).

12. *Si van a evaluarte el dossier, enséñaselo previamente a otras personas.* Puedes pedírselo a otros compañeros o a cualquier persona que esté dispuesta a hacerte este favor. Si se dan cuenta de que falta algo, o te sugieren que añadas algún aspecto, anota la observación detalladamente para demostrar lo que has hecho al respecto. Asimismo, podrías plantearte incluir estas observaciones como parte del dossier.

13. *Ten en cuenta las observaciones de otras personas.* Cuatro ojos siempre ven más que dos. Por ello es interesante que muestres borradores de tu dossier a cualquier persona que pueda interesarle. Pídele que anote comentarios al lado de las ideas que quizá deberían madurarse u omitirse. Asimismo, pídele que te corrija la ortografía y los errores tipográficos: siempre es más fácil que los vea otra persona que uno mismo.

14. *Autoevalúate el dossier.* Si sabes cuál es, utiliza el mismo criterio de evaluación con el que se puntuará tu dossier para que veas en qué medida el trabajo cumple las expectativas. Asimismo, podrías contemplar incluir tus propios comentarios de autoevaluación como un elemento más del dossier.

15. *Ahora redacta la introducción.* Otro aspecto que también ayuda muchísimo es incluir al principio una página sobre los contenidos. Ésta debería plasmar tanto los materiales esenciales como los apéndices y podría basarse en el borrador con la lista de contenidos que hayas elaborado previamente. Asegúrate en todo momento de que el dossier que entregas sea de fácil manejo para el lector.

Tercera parte

Redactar trabajos

20

Preparar los trabajos

En otros apartados del libro ya hemos abordado el problema de empezar una tarea. Sin embargo, el caso de la redacción de trabajos es distinto, ya que todavía da pie a más excusas para no empezar a hacerlo. Así pues, mis consejos para redactar trabajos empiezan con lo que debes hacer antes de empezar a redactarlos.

1. *Empieza a planificar el trabajo inmediatamente.* Tan pronto como tengas el título, no hay nada que pueda frenar la puesta en marcha del trabajo. En este sentido, será una ventaja si la fecha de entrega todavía queda lejos, puesto que poder reflexionar con tranquilidad te resultará mucho más creativo que hacerlo bajo presión (que es lo que ocurre cuando la fecha de entrega es al día siguiente).

2. *Si lo empiezas pronto, las probabilidades de que te salga bien serán mayores;* o lo que es lo mismo: si has hecho el primer borrador con la suficiente antelación, tendrás tiempo de sobras para revisar, replantearte algunos aspectos e investigar más profundamente. Asimismo, a veces hay cosas que no se entienden a la primera y, en cambio, días más tarde se te enciende la lucecita.

3. *Sigue al máximo las instrucciones.* Puede que sólo te den el título. Pero también es una pista saber cómo se puntúa cada parte del trabajo, como por ejemplo los puntos que puede valer la introducción (mediante la que debes afirmar o clarificar la cuestión que

vas a abordar), el análisis de la cuestión y la parte final (que debería contener una conclusión, resolución, decisión, etc.). Estas pistas te servirán de guía para determinar la estructuración de tus ideas a lo largo del trabajo.

4. *Saca provecho de los objetivos de aprendizaje correspondientes.* Casi todos los trabajos sometidos a evaluación deben, de un modo u otro, estar relacionados con los objetivos de aprendizaje establecidos para una asignatura o módulo. A veces esta relación es muy evidente, ya que los objetivos están especificados en las instrucciones del trabajo. En cambio, en ocasiones eres tú quien debe establecer la relación.

5. *Infórmate sobre la evaluación del trabajo.* Puede que el temario de la asignatura especifique el criterio de puntuación. Esta información te será muy útil para saber dónde está la diferencia entre un trabajo excelente, uno normal y un suspenso. Averigua todo lo que puedas sobre las características que debe tener un buen trabajo y, en cuanto lo sepas, utilízalas como pauta para preparar y empezar el tuyo.

6. *No empieces por el principio.* Por muy tentador que sea empezar directamente redactando la introducción, esto es lo último que deberías hacer. Dicho de otro modo: no hay nada como dejar la introducción para el final, ya que entonces estarás más preparado para hacerlo, al haber redactado el resto del trabajo y sacado las conclusiones correspondientes. En cambio, antes de empezar, es muy difícil saber todas estas cosas.

7. *Haz un diagrama ovalado.* ¿En qué consiste? Antes ya lo he explicado, aunque sólo por encima. Vuelve, pues, a dibujar un diagrama: coge un folio en blanco y ponlo sobre la mesa horizontalmente. Seguidamente dibuja en el centro un huevo a tamaño real y, en su interior, escribe el título del trabajo (si es muy largo, anota sólo las palabras clave).

Título escrito

8. *Alrededor del diagrama, traza unas flechas que vayan en sentidos distintos.* En el extremo de cada flecha, escribe una pregunta corta que pueda tener sentido si la incluyes en alguna parte del trabajo. Te irán bien las preguntas que incluyan palabras o frases como: «¿Por qué…?», «¿Qué…?», «¿Quién fue el primero en descubrir que…?», «¿Dónde ocurre?», «¿Cómo funciona?», «¿Qué más sucede si…?». Sin darte cuenta, habrás pensado en numerosos aspectos válidos para el trabajo.

9. *Añade flechas alrededor del diagrama.* Esta vez, en lugar de preguntas, anota ideas en el extremo de cada flecha. Limítate a escribir dos o tres palabras, las suficientes para que la próxima vez que veas el diagrama te acuerdes de la idea.

10. *Añade ideas y preguntas.* Ahora ves por qué se trata de un diagrama «ovalado». Te permite añadir ideas de todo tipo y volver al diagrama cuando te convenga.

11. *Ten en cuenta la pregunta del centro del diagrama cada vez que vayas a añadir otra idea o pregunta.* Es muy importante que todas tus ideas y preguntas estén vinculadas a un tema central. Por este motivo es mejor no dispersarse con preguntas o ideas de segundo orden. Casi todos los puntos que puedas obtener tendrán que ver directamente con el título o pregunta original.

12. *Si se te ocurren ideas o preguntas mejores, no dudes en tachar las que tenías.* Hacer esto ayuda a priorizar las ideas y a su vez garantiza que el trabajo sólo contendrá las mejores, lo cual es de suma importancia si te han dado un número límite de palabras. Cuanto más lleno aparezca el diagrama, más ideas habrás tenido y mejor será el trabajo.

13. *Lleva el diagrama a las clases relacionadas con la asignatura.* De vez en cuando surgirán ideas y preguntas que querrás añadir al diagrama, lo que siempre es más adecuado hacer inmediatamente. Si tienes que esperar a llegar a tu rincón de estudio, corres el riesgo de que se te vayan de la cabeza.

14. *Pon el diagrama en un sitio donde lo puedas ver.* Cuélgalo en una pared o estantería de tu habitación, o llévatelo allí donde va-

yas, ya que siempre se te pueden ocurrir nuevas ideas que valga la pena anotar.

15. *Compara tu diagrama con los de tus compañeros*. Si otros compañeros también están trabajando en el mismo tema, entre todos podéis mejorar vuestros respectivos trabajos comparando e intercambiando las ideas de los diagramas. Esto no significa que vuestros trabajos vayan a ser idénticos (algo que sería peligroso), sino que os beneficiáis mutuamente.

16. *Habla con tus compañeros sobre el tema*. De este modo seguro que surgirán más ideas que te servirán para mejorar el diagrama.

17. *Date cuenta de que estos diagramas se hacen en minutos, no en horas*. Hacer un diagrama no cuesta nada, sólo unos cuantos minutos. Además, si lo haces enseguida dentro del tiempo del que dispones, lo harás sin ninguna presión y asimismo te estarás ahorrando tiempo.

21

Dar forma a un trabajo escrito

Ya hemos visto cómo en una sola hoja pueden incorporarse muchas ideas válidas. El próximo paso consiste en poner estas ideas en orden. Los siguientes consejos te servirán para que la redacción del trabajo termine siendo fluida y, como resultado, saques una buena nota.

1. *Estudia el diagrama ovalado.* A estas alturas ya has acumulado numerosas preguntas que seguramente vale la pena plasmar en el trabajo. Asimismo, lo más probable es que muchas de tus ideas respondan a algunas de estas preguntas. Pero ¿por dónde empezar? Éste es el siguiente paso.

2. *No empieces a redactar por ahora.* Todavía quedan cosas por preparar. No cabe duda de que los contenidos de un trabajo tienen mucha importancia, pero también la tienen aspectos como la coherencia, un fluir lógico, etc. Una casa no se empieza por el tejado y por este motivo vale la pena tener en cuenta las siguientes sugerencias.

3. *Has acumulado muchas ideas y preguntas. Sin embargo, ¿cuáles son las más importantes?* Ahora es el momento de analizar los contenidos del diagrama ovalado y, mediante asteriscos, dar una puntuación a cada idea o pregunta: a los aspectos que sean realmente esenciales, otórgales tres asteriscos (***); a los que sean bastante importantes, dos asteriscos (**); y a los que de algún modo

son relevantes, un asterisco (*). Tacha definitivamente sin ningún miedo los que hayas dejado sin marcar.

4. *Determina cuál es la mejor idea o pregunta para empezar a redactar* y, con un bolígrafo o lápiz de distinto color, escribe al lado un «1». Lo más probable es que se trate de una de las ideas o preguntas que tienen dos o tres asteriscos. Por ahora no te preocupes demasiado porque tenga que ser así. Si resulta oportuno, tendrás más oportunidades de cambiarlo.

5. *¿Cuál es el siguiente paso?* Analiza la pregunta o idea que has marcado con un «1» y busca otro aspecto que pueda derivar de ella de modo lógico. Cuando lo hayas decidido, márcalo con un «2», y así sucesivamente hasta seis.

6. *¿Dónde terminar?* Vuelve a analizar el diagrama y esta vez hazlo buscando la idea o pregunta que sea adecuada para la conclusión del trabajo. Márcala con una «X» con un lápiz de color. Seguidamente busca la pregunta o idea que consideres que por lógica sea la previa a «X» y a su lado indica «X-1». De este modo pasará a ser la penúltima pregunta. Luego busca las que consideres que puedas marcar con «X-2», «X-3» para finalmente determinar cuáles son las últimas ideas.

7. *Por ahora no pienses en lo que será la introducción definitiva.* El punto que hayas marcado con un «1» representa el primer aspecto del tema que abordará el trabajo. La introducción, de hecho, todavía es más importante, pero aún no es el momento de redactarla ya que ni los contenidos ni la conclusión están del todo configurados. No te preocupes: vas por el buen camino.

8. *Hacia una relación de ideas.* Sigue avanzando a partir de los puntos 1, 2 y 3 y así sucesivamente y también retrocediendo desde los puntos X, X-1 y X-2, hasta que hayas establecido un orden que relacione todas las preguntas e ideas. Una vez que lo tengas hecho, significa que ya tienes un plan provisional no sólo por lo que se refiere a contenidos, sino que el orden mediante el que presentarás tus argumentaciones, investigaciones y conclusiones ya estará establecido.

9. *Una buena planificación tiene que ser flexible.* No dudes en tachar ideas que te parezcan poco acertadas ni tampoco en añadir otras. Si te viene a la cabeza otra idea que te parece importante y que puede quedar bien entre los puntos 3 y 4, por ejemplo, añádela y márcala como «3a», y así sucesivamente.

10. *Ahora empieza la investigación de verdad.* Esto significa empezar a usar las fuentes principales a fin de encontrar respuestas a tus preguntas e información relacionada con tus ideas. No es necesario que lo hagas todo a la vez. De hecho, es mejor encontrar un par de respuestas un día, otras dos al día siguiente, etc. Hazlo de modo llevadero. Además, la fecha de entrega todavía queda lejos.

11. *Empieza a relacionar la información.* Anota preguntas y respuestas en hojas o tarjetas y guárdalas momentáneamente en un sobre. Asimismo, puede resultarte útil anotar el número original de la pregunta o idea en cada tarjeta relacionada con ese aspecto.

12. *No olvides el título o pregunta original.* Se pierde más nota por irse por la tangente que por responder mal. Si no vas recordándote cuál es el título, éste parece adquirir otros significados y, cuando vuelves a mirarlo, ya no quiere decir lo que te imaginabas. Un fenómeno extraño pero cierto.

13. *Lee de nuevo las instrucciones.* Esta vez busca específicamente cualquier tipo de información sobre la puntuación relacionada con aspectos particulares del trabajo. Asesórate de nuevo acerca de lo que se espera de un trabajo para que éste se considere bueno respecto a otro que lo sea menos, etc. Asegúrate de que tu plan abarca todos los aspectos que te ayudarán a sacar la mejor nota posible.

14. *Ahora ya puedes empezar a redactar.* Sin embargo, no lo debes hacer de un tirón, como si de una maratón se tratase. Si has empezado a trabajar con bastante antelación, todavía estás a tiempo de hacer más de un borrador. Los consejos en el próximo apartado profundizan más este aspecto.

22

Redactar borradores de los trabajos

Casi nadie redacta perfectamente un trabajo a la primera, aunque eso es lo que hay que hacer en un examen, como veremos más adelante. No obstante, en el caso de un trabajo puedes repetirlo tantas veces como quieras, y la versión definitiva será la que puntúe. Seguramente cualquier versión será mejor que la primera.

1. *Decídete a redactar.* Limitarte a pensar lo que vas a escribir no da puntos. Empieza a escribir algo, ya sea a mano o a ordenador. Ahora no es el momento de volver a conectarte a Internet, ni de jugar con el ordenador, ni de mirar los e-mails. Convierte estas actividades en recompensas, pero sólo tras haber estado escribiendo durante una media hora como mínimo.

2. *Empieza con uno de los puntos principales.* Analiza una de las ideas o preguntas sobre las que ya hayas investigado algo y piensa en lo que puedes decir al respecto. Empieza por la parte que te motive más: para ello puede serte útil el sistema numérico antes mencionado. Escribe el número correspondiente a cada página (o, si estás trabajando con el ordenador, hazlo incorporando una cabecera y guardando el archivo también indicando el número).

3. *Procura convertir tu idea o pregunta en un único párrafo.* En el trabajo definitivo, sería ideal que cada párrafo se centrase en una única idea o pregunta. Si crees que un párrafo no es suficiente, qui-

zás es que en realidad tienes más de una idea o pregunta o que te estás repitiendo. Piensa que la primera frase de un párrafo debería ser relativamente corta y estar bien enfocada y, asimismo, anunciar el contenido del resto del párrafo. Sea como sea, un párrafo no debería contener más de una idea o cuestión.

4. *Por ahora no te preocupes por el sentido del párrafo,* ya que puede que sólo lo tenga cuando lo leas con las primeras partes del trabajo que todavía no tienes hechas.

5. *Sigue convirtiendo tus ideas o preguntas en párrafos, aunque sin seguir necesariamente un orden.* Ve acumulando borradores de párrafos en hojas o tarjetas (o, si trabajas desde el ordenador, en archivos separados o en un mismo archivo organizado en distintos apartados).

6. *Una vez que tengas el borrador de la parte principal del trabajo, empieza a pensar en cómo relacionar los puntos.* Analiza los contenidos de los párrafos 7 y 8, por ejemplo, para ver cuál es el modo más natural para que 7 lleve a 8 (o también puedes retocar ligeramente el comienzo del párrafo 8 para relacionarlo con el 7).

7. *Ahora ya puedes pensar en la conclusión.* Vale la pena volver a estudiarse la pregunta o cualquier otro tipo de información que tengas a mano y que esté relacionada con el trabajo (como por ejemplo criterios de evaluación, objetivos, instrucciones, etc.). Es muy importante que quien lea el trabajo, tras haberlo hecho, considere que has abordado el tema en cuestión.

8. *Ahora puedes empezar a redactar el primer borrador de la introducción.* A estas alturas ya deberías haberte formado una buena idea de los distintos puntos que aparecerán en tu trabajo y de cómo éstos abordan el tema. Acuérdate de que la introducción es lo primero que leerán los evaluadores y que las primeras impresiones son muy importantes. Si la introducción se lee muy bien, supondrán que están ante un buen trabajo.

9. *Asimismo, redacta todos los borradores de la conclusión que hagan falta.* Desde luego esto es lo último que se leerán, pero lo harán justo antes de determinar qué nota te ponen. Por ello habrás ga-

nado mucho si les gusta tu conclusión y, claro está, si ésta es fiel a lo que prometiste en la introducción.

10. *Piensa si vale la pena modificar la parte final del trabajo.* Alguna vez ocurre que, incluso teniendo ya la conclusión, va bien terminar con un párrafo-resumen breve y condensado, que sintetice la manera en que tu trabajo ha abordado la cuestión y que asimismo recalque la conclusión principal.

11. *Guarda todo el material en un cajón durante una o dos semanas.* Esto sólo lo podrás hacer si empezaste a hacer el trabajo con bastante antelación. Una de las ventajas es que podrás repasar los borradores e incorporar los cambios que consideres oportunos, ya que en tu subconsciente habrás seguido reflexionando acerca de las ideas que hayas escrito.

12. *Cuando leas los borradores, no leas sólo lo que quisiste decir sino también cómo lo* escribiste. Esto es algo que debes hacer a conciencia, pues es fácil leer tus propias palabras y ver lo que querías escribir. Sin embargo, tu nota o puntuación dependerá no de lo que querías escribir, sino de lo que hayas escrito.

13. *Por ahora no tires nada a la papelera.* Trabajes con el ordenador o a mano, guárdalo todo. El peligro de tirar los primeros borradores es que luego puedes darte cuenta de que eran mejores que los últimos. Si trabajas con ordenador, sigue guardando los borradores mediante la opción «Guardar como», en vez de escribir sobre una misma versión. Hazlo de tal modo que no te resulte complicado localizar el documento. En este sentido, puede serte útil poner la fecha como nombre de archivo, ya que, pese a que los ordenadores memorizan las fechas, siempre es mejor que éstas queden visibles y tú veas qué documento creaste primero.

14. *Lee partes en voz alta.* Esto es algo que puede hacerse mentalmente, pero es muy útil que tú mismo oigas lo que has escrito. Si te quedas sin respiración al leer una frase, significa que es demasiado larga. Mira cuáles son las palabras clave en cada frase, es decir, las palabras que pronuncias con énfasis al leerlas en voz alta. Asegúrate de que sobre el papel estas palabras también plasmen el

mismo énfasis. Si no es así, busca palabras alternativas que funcionen mejor.

15. *Ten en cuenta la extensión.* Los trabajos suelen tener un límite de palabras. Lo más adecuado es no pasarse del 10 % de este límite. Esto quiere decir que puede que tengas que eliminar ciertas cosas, lo que no es nada fácil (sobre todo si has meditado mucho las palabras). Pero extenderse más de la cuenta quizá comporte sacar peor nota. En cambio, si lo que te ocurre es que no llegas al límite de palabras, alargar algunos párrafos no es tan costoso. Si utilizas un procesador de textos, te será muy fácil estar al corriente de las palabras que llevas escritas, ya que el menú «Herramientas» incluye la opción de contar palabras; además es muy fácil de utilizar.

16. *Ahora ya lo puedes pasar todo a papel.* Si hasta ahora has estado redactando a mano, ya tendrás el trabajo en papel. No obstante, si has estado trabajando con el ordenador, habrás estado haciendo los borradores sobre la pantalla. Hay estudios que demuestran que solamente leyendo un trabajo impreso la mayoría de personas logramos ver lo que hay que cambiar. Date la oportunidad de hacer estos cambios: imprímelo todo y cambia lo que consideres oportuno.

23

«He empezado, o sea que voy a terminar»

Si ya has puesto en práctica todos los consejos de cómo redactar, eso significa que estás a punto de terminar el trabajo. Ya hemos dicho por qué no es buena idea redactar la introducción o la conclusión al principio. No obstante, existen algunos aspectos que debes tener en cuenta cuando ya estés dando los últimos retoques al trabajo. Continuemos, pues, con el plan lógico para que tu trabajo obtenga la máxima nota posible.

1. *Muestra a otras personas lo que tengas hecho del trabajo y pídeles su opinión.* ¿A quién se lo puedes preguntar? Los comentarios de los compañeros que estén haciendo el mismo trabajo pueden resultarte verdaderamente válidos, aunque en este sentido deberás ir con cuidado si no quieres que se queden con muchas de tus ideas. También pueden serte útiles los comentarios de otras personas. De hecho, puede decirse que en esta fase cualquier par de ojos puede convertirse en una gran ayuda.

2. *Ten en cuenta los comentarios que recibas.* Puede que no todo lo que te digan sea válido, por lo que deberías ignorar según qué tipo de comentarios. No obstante, es importante tener en cuenta quiénes son las personas cuyos comentarios te han resultado más útiles, ya que de este modo podrás acudir a ellas en ocasiones futuras. De todos modos, cabe decir que no deberías esperar la opinión

de los otros sin una colaboración recíproca, es decir, tú también deberías ayudarles en este sentido con sus trabajos.

3. *Procura recibir estos comentarios lo antes posible.* Averigua por eliminación quien te garantiza una ayuda inmediata: los comentarios tienen todavía más sentido cuando aún tienes en la cabeza lo que querías transmitir.

4. *Busca la aportación de comentarios específicos.* Pide, por ejemplo, que te proporcionen sugerencias referentes a la ortografía y gramática. A menudo resulta más fácil que otras personas se den cuenta de un error o falta. Concretamente en esta fase, los buenos correctores valen su peso en oro.

5. *Busca a alguien que te lea el trabajo en voz alta.* Suele ocurrir que, cuando escuchas tus propias palabras leídas por otra persona por primera vez, te das cuenta de lo que fluye y lo que carece de sentido. Las frases cuyo significado cueste interpretar comportarán una dificultad en la lectura del evaluador. Si sabes cuáles son las que fallan, podrás introducir los cambios pertinentes a tiempo.

6. *Ahora ya puedes empezar a pulir la introducción.* Ésta es la última oportunidad que tienes para que tu trabajo tenga éxito y para que, a través de éste, quienes lo corrijan pongan el listón bien alto. Asegúrate de que la introducción deja claro hacia dónde apunta el trabajo. A estas alturas tú ya lo tienes muy claro, o sea que una breve explicación en la introducción no debería costarte.

7. *Repiensa el título.* Quizás hayas tenido que trabajar a partir de un título dado. Si, por el contrario, eres tú quien tiene la última palabra, ahora es el momento de buscar un buen título. Puede irte muy bien inventarte y barajar varias opciones y finalmente quedarte con la que guste más a quien se lo enseñes.

8. *Retoca de nuevo la conclusión.* Asegúrate de que leyendo sólo la introducción y la conclusión uno pueda hacerse una buena idea de todo el trabajo. Los evaluadores, cuando corrigen, suelen retroceder para ver que el trabajo sigue el hilo, y lo hacen precisamente releyendo la introducción y la conclusión, especialmente antes de decidir la nota.

9. *Ahora intenta* puntuar *tu trabajo*. Una vez que hayas alcanzado esta fase, te irá muy bien releer las instrucciones, sobre todo si éstas especifican cómo se va a puntuar cada parte del trabajo. Repasa la información sobre los criterios de evaluación, especialmente la relacionada con lo que se espera de un buen trabajo. Incluso a estas alturas es recomendable añadir cualquier detalle que responda a los criterios de puntuación.

10. *Sigue guardando los borradores y la versión definitiva*. Vale la pena guardar todo el material relacionado con el trabajo hasta que te lo devuelvan puntuado. Si posteriormente tuvieses que mostrar algún tipo de prueba, los borradores serían tu mejor aliado: de este modo demostrarías que los contenidos de tu trabajo no procedían ni de Internet ni de otras personas.

11. *Piensa cuándo vas a entregar el trabajo*. Por norma general suele fijarse una fecha de entrega y es recomendable que lo entregues incluso un poco antes. No lo dejes para última hora: imagínate que ese día te pones enfermo, que hay problemas con el transporte o que te lo dejas en casa. Asimismo, tampoco es recomendable que lo entregues con demasiada antelación, ya que te frustrarías si luego se te ocurre una idea brillante que hubieses podido incluir. Normalmente, uno o dos días antes es el tiempo adecuado. Y, pase lo que pase, no le des tu trabajo a nadie para que lo entregue por ti, por mucha confianza que puedas tenerle a esa persona.

12. *Olvídalo*. Una vez entregado, ya no puedes hacer nada para subir nota. No pretendas hacerle la autopsia al trabajo. No hables de ello con otros compañeros que también lo hayan tenido que hacer o terminarás deprimiéndote cuando te enteres de todas las ideas que ellos han tenido y tú no: estarías creando un círculo vicioso e innecesario. Ahora toca pasar a otras cuestiones, ya que seguramente te estará esperando otro trabajo.

24

Cuando te devuelven un trabajo... ¡con la nota!

Ésta ya es la última fase. Puede ser que incluso tarden semanas en devolvértelo y que entonces ya estés estudiando temas nuevos. Sin embargo, hacer bien las cosas ahora puede ayudarte considerablemente para el próximo trabajo. Los siguientes consejos tienen que ver con ello.

1. *Considéralo una buena oportunidad para obtener comentarios.* Si realmente estás dispuesto a aprender de cualquier tipo de comentario que puedas recibir, tienes muchas más probabilidades de salir beneficiado.

2. *Si la nota es alta, reconoce que estás orgulloso de ello.* No es un hecho insólito que un alumno coja su trabajo ya puntuado, le prenda fuego y luego lo pisotee. Puede que a alguien esto le haga sentirse mejor, pero habrá desperdiciado una oportunidad para aprender algo (¡además de estar haciendo algo peligroso!).

3. *No le des demasiada importancia a la nota.* A estas alturas poco puedes hacer con la nota que te hayan puesto. Lo que realmente importa y te será útil para el próximo trabajo es saber por qué has sacado esa nota y no otra.

4. *No te pongas a la defensiva.* Es muy fácil tomarse cada comentario como una ofensa personal. Acuérdate de que los comentarios críticos no van dirigidos a ti, sino a lo que has escrito. La próxima vez puedes hacerlo mejor y seguir siendo el mismo.

5. *Si no sacas buena nota, averigua por qué.* Aprendemos tanto de los errores como de las cosas que hacemos bien. Si has sacado una nota baja, busca pistas que te indiquen qué es lo que sí hiciste bien.

6. *Si sacas buena nota, procura no vanagloriarte demasiado.* Analiza por qué has sacado una buena nota. ¿Qué les ha gustado a los evaluadores?, ¿cómo puedes aplicar estos aciertos en tu próximo trabajo? E incluso en el caso de haberlo hecho muy bien, no dejes de buscar los aspectos que hubieses podido hacer todavía mejor.

7. *Aparca el trabajo durante un tiempo y luego léetelo de nuevo.* El problema con los comentarios y las notas es que las notas lo acaban eclipsando todo. Cuando tu cabeza solamente piensa en la nota que vas a sacar, sea alta o baja, no te queda espacio para analizar los comentarios que hayas podido recibir. Una vez te acostumbres a la nota que te hayan puesto, te darás cuenta de que puedes analizar los comentarios mucho más imparcialmente y, de este modo, sacar el máximo provecho.

8. *No te duermas en los laureles.* «Más dura será la caída», etc. Si esta vez has sacado una nota realmente buena, significa que tendrás que trabajar mucho para superarla (e incluso igualarla) la próxima vez. De hecho, tienes bastantes probabilidades de que tu próxima nota sea inferior, hecho que probablemente comporte una decepción. No obstante, ahora puedes minimizar esta desilusión analizando por qué te salió tan bien la vez anterior.

9. *Analiza tu nota según el baremo.* Algunas veces conocerás detalles referentes al baremo establecido para puntuar los trabajos. Estúdiate cuáles son los aspectos que te han dado más nota, los criterios de evaluación y, lo que es más importante, analiza lo que no hiciste bien y por qué te ha bajado la nota. Este hábito te será realmente útil para la próxima vez que tengas que hacer un trabajo.

10. *Entérate de los comentarios que han recibido tus compañeros.* De hecho, teniendo en cuenta la distancia emocional, puede resultar más fácil entender los comentarios que hayan recibido otros compañeros que entender los que has recibido tú. Al mismo tiempo, a tus compañeros les será fácil darte su opinión sobre los comentarios que hayas recibido. Además, analizando los trabajos ya corregidos de otras personas verás más claramente cuáles han sido los criterios de evaluación. Cuanto mejor conozcas estos criterios, más posibilidades tienes de sacar mejor nota la próxima vez, tanto en exámenes como en trabajos.

11. *No te apures si necesitas que te aclaren algún punto.* Si no logras entender algún aspecto de las observaciones, intenta encontrar un momento para que te lo expliquen. Sin embargo, debes ir con cuidado para no dar la impresión de estar pidiendo que te suban la nota. Asimismo, no conviene arengar a los profesores por los pasillos o al final de las clases: pueden pensar que estás poniendo a prueba su criterio, lo que no te ayudará a ganarte su simpatía. Solicita una reunión para hablar con ellos, de este modo podrán responder debidamente a tus preguntas.

12. *Prepárate un plan.* Por cada trabajo que hayas hecho, anota tres aspectos que intentarás tener en cuenta la próxima vez y los

que intentarás evitar. Así podrás finalmente sacarte el trabajo de la cabeza, considerarlo una experiencia de aprendizaje positiva y dar más importancia a este aspecto que a la nota. Ya puedes archivar el trabajo, pero sigue con tu plan.

25

Dar el debido mérito

Este apartado está dedicado a las citas ajenas y referencias bibliográficas que incorpores en el trabajo y cómo hacerlo debidamente. Es más, el objetivo de este apartado es sobre todo que no te acusen de plagio, lo cual es muy grave. Presentar las referencias adecuadamente es un aspecto muy importante en cualquier trabajo que cite obras ajenas y que luego vaya a ser evaluado. Esto todavía es más importante si vas a publicarlo (trabajos de investigación, contribuciones a conferencias, libros y artículos), puesto que entonces es necesario mostrar profesionalidad. De lo contrario, con un poco de suerte tendrás que hacer alguna trampilla para satisfacer a los editores con vista de lince o, en el peor de los casos (que sería lo más probable), éstos no te aceptarían el trabajo.

1. *Aprende cuál es la relación entre cita y referencia bibliográfica.* Citar significa incluir en una obra o trabajo un texto ajeno ya publicado. Las referencias bibliográficas son la lista que aparece al final de un trabajo u obra mediante la cual se detallan las obras citadas. En este sentido, cabe decir que hacer las referencias resulta un poco más complicado que citar.

2. *Utiliza el sistema Harvard (autor-año) siempre que puedas.* El sistema Harvard, como veremos más adelante, es sin duda alguna el más aceptado. Sin embargo, si te piden que utilices el sistema

numérico, tendrás que adaptarte a ello. De todos modos, piensa que tarde o temprano tendrás que dominar el sistema Harvard. El sistema numérico coloca números volados al lado del nombre del autor («Race[7] sugiere que…») y las referencias se presentan siguiendo un orden numérico al final del trabajo.

3. *Ten en cuenta la meticulosidad de ciertas personas cuando tengas que citar e incluir referencias.* En trabajos que vayan a evaluarte, algo que esté mal en las citas o las referencias siempre comportará la pérdida de puntos. Los autores cuyas obras se citan y los editores son especialmente quisquillosos en este sentido, sobre todo si te equivocas en los detalles. Asimismo, los examinadores externos pueden ser muy exigentes por lo que se refiere a las referencias, sobre todo porque muchas veces coincide que son editores de alguna publicación o autores.

4. *Acostúmbrate a anotar todos los detalles relativos a la información que necesitas para luego no equivocarte en la referencia.* Lo mejor es irlo haciendo a medida que vayas consultando los artículos o fuentes y de este modo también te ahorrarás tiempo. De cada libro o artículo toma nota de la siguiente información:

- de cada autor (y/o editor): apellidos seguidos de las iniciales del nombre, año de publicación;
- título exacto del artículo, libro o capítulo;
- número de volumen, apartado y capítulo (especialmente en el caso de los artículos de revista) y datos de la edición: ciudad, país, editorial.

A algunas personas les va bien tener todos estos datos en el ordenador, mientras que otros prefieren el sistema de fichas (una ficha por referencia), con el espacio suficiente para anotar la cita exacta.

5. *Busca algún libro o revista recomendados a modo de ejemplo.* Vale la pena servirse de un ejemplo como guía hasta que te familiarices del todo con las citas y referencias, pero debes asegurarte de que el ejemplo que utilices esté bien hecho, ya que muchas de las citas y

referencias que existen contienen errores. Siguiendo los consejos que encontrarás a continuación, puedes comparar el modo a través del cual las fuentes con las que trabajes presentan citas y referencias.

6. *Para prácticar, elabora referencias bibliográficas siguiendo el sistema que te pidan.* La referencia de este libro sería:

Race, P. (2005) *Cómo estudiar. Consejos prácticos para estudiantes universitarios.* Barcelona, España: Paidós.

Es decir, se trata de un ejemplo que pone en práctica el sistema Harvard, cuya estructura es la siguiente:

Apellido del autor seguido de coma, iniciales (año de publicación entre paréntesis) *Título de la obra en cursiva.* Lugar de publicación, país: editorial.

Para ver cómo se elaboran las referencias de fuentes más complejas, fíjate en tus libros de texto y en otras publicaciones.

7. *Ten en cuenta la diferencia entre un artículo y un libro.* La principal diferencia es que, en el caso de los artículos de revista, el título de éstos aparece en redonda, mientras que el título de la publicación aparece en cursiva. Asimismo, se debe hacer constar el número del volumen (y apartado, de ser oportuno) y los números de las páginas del artículo. Sin embargo, no se incluirán los datos referentes a la editorial o lugar de publicación. He aquí un ejemplo:

Hogwarts, D. y Alterio, M. (2004) Getting your references right when writing essays. *British Journal of Proper Writing* 93, 2: pp. 24-36.

8. *Acuérdate de lo que deber ir en cursiva.* Esto te será más fácil si ya de buen principio guardas los datos en el ordenador con el procesador de textos. Ahora bien, si te encuentras en la biblioteca y sólo dispones de un bolígrafo, puede que te olvides de la cursiva. Una manera de no hacerlo es subrayando la información pertinente.

9. *No te equivoques con las citas en el interior del texto.* En tu texto, haz referencia al autor y al año de la siguiente manera: «Buenas recomendaciones sobre cómo hacer referencias las proporcionan Hogwarts y Alterio (2004), quienes aconsejan que...». Como alternativa, si quieres hacer constar una cita directa de la fuente que hayas escogido, podrías especificarla del siguiente modo:

> Es muy importante que los estudiantes escriban las referencias de una manera precisa, especialmente en el caso de citas directas de obras ajenas (Hogwarts y Alterio, 2004).

10. *Utiliza adecuadamente la abreviación* et al. *Et al.* es la abreviación de *et alii*, que en latín significa «y otros». En el caso de libros o artículos con varios autores, una lista con todos los nombres entorpecería el texto cada vez que tuviésemos que citar. En cambio, en el caso de que los autores sean dos sí vale la pena utilizar ambos, como en los ejemplos que hemos visto anteriormente. A partir de tres autores, como es el caso de *Taxonomy of Educational Objectives*, podrías citarlo como (Bloom *et al.*, 1956) en el cuerpo de tu trabajo y la referencia completa al final de éste:

> Bloom, B. S., Engelhart, M. D., Furst, E. J., Hill, W. H. y Krathwohl, D. R. (1956) *Taxonomy of Educational Objectives: Cognitive Domain.* Nueva York: McKay.

Ten en cuenta que tendrás que ir con mucho cuidado con los nombres, especialmente con las iniciales. Deberás comprobar cuáles son las que corresponden a cada apellido. Las referencias que contienen varios nombres suelen dar pie a dejarse los últimos nombres de la lista, lo que puede causar una gran confusión y pérdida de tiempo al elaborar la lista final. Ten también en cuenta que algunas editoriales se decantan por abreviaciones latinas como *et al., op. cit.* e *ibid.*, las cuales es recomendable que, en vez de escribirse en cursiva, se haga en redonda.

11. *No abuses de las abreviaciones. Op. cit.*, por ejemplo, a veces se utiliza para referirse a obras ya citadas, mientras que *ibid.* o *idem* significan «fuente citada anteriormente». No obstante, por motivos prácticos, siempre resulta más fácil citar de nuevo. En este sentido, es recomendable que te fijes en el método que utilizan tus mismas fuentes bibliográficas para comprobar si esta clase de abreviaciones las utilizan o no los correspondientes autores.

12. *Ten especial cuidado con las referencias «compuestas».* Me refiero, por ejemplo, a citar la obra de unos autores determinados que se encuentra en un capítulo concreto de una colección publicada. Una muestra de referencia bien hecha de este tipo sería:

Lucas, L. y Webster, F. (1998) Maintaining standards in higher education? A case study. En Jary, D. y Parker, M. (eds.), *The New Higher Education: Issues and Directions for the Post-Dearing University.* Stoke-on-Trent, Reino Unido: Staffordshire University Press, pp. 105-113.

13. *Ten en cuenta las variantes del sistema Harvard.* Hay libros y revistas que escriben el nombre del autor (o del editor) en MAYÚSCULAS. Asimismo, el lugar de publicación lo ponen al final, en vez de colocarlo tras el título. Hay editores que quieren que la primera letra de cada palabra del título aparezca en caja alta, mientras que otros no. Si resulta que estás escribiendo para una publicación o editorial concreta, es recomendable respetar las normas de estilo de la casa. Al fin y al cabo, lo más importante es que exista una coherencia de estilo.

14. *Los artículos periodísticos también deben hacerse constar en las referencias.* Si por ejemplo citas un artículo o noticia de *The Guardian*, la cita (Jones, 2003) debería hacerse constar debidamente en el apartado de referencias al final del trabajo, con la fecha exacta de publicación y números de página correspondientes, es decir:

Jones, J. (2003) Students sent down for plagiarism, *The Guardian*, 31 de enero, 24-25.

111

15. *Ordena las referencias alfabética y, si es necesario, crono-lógicamente,* lo cual deberás hacer según los apellidos del primer autor. Si incluyes a un autor más de una vez, deberás aplicar el criterio cronológico; es decir:

> Smith, A. (1997) ...
> Smith, A. (2000) ...
> Smith, A. (2002) ...

En el caso de haberse citado más de una fuente de un mismo autor y que el año coincida, deberás especificar a qué obra te refieres insertando una letra al lado del año:

> Smith, A. (2000a) ...
> Smith, A. (2000b) ...

Cuando ocurra esto, también deberás hacer constar la letra en la cita que incorpores en el texto (Smith, 2000a), etc.

16. *También se hacen referencias de las fuentes electrónicas (Internet).* Por lo que se refiere al autor y datos acerca del título, se aplica el mismo criterio que en el caso de los artículos periodísticos, aunque en este caso deberás hacer constar el sitio (URL) de la fuente, como por ejemplo http://www.leeds.ac.uk/students/study.htm (con acceso el 20 de julio de 2003). Como puedes ver, también debes incluir la fecha en que accediste a la página, a fin de que, si cambia la dirección de la web, el lector pueda comprobar dónde se encuentra la referencia o si ésta ya no está disponible.

17. *Cuando hayas terminado el trabajo, comprueba atentamente que las citas y referencias sean correctas.* Tanto si tu trabajo lo va a corregir un profesor como si tienes intención de enviarlo a un posible editor, es de suma importancia que compruebes todos los datos referentes a citas y referencias. Comprueba, sobre todo, que cada cita tenga su referencia correspondiente al final del trabajo. Asimismo, asegúrate de que, si has omitido una cita, también hayas omitido la referencia. Por lo tanto, dedica el tiempo que sea necesario a revisar estos aspectos.

Cuarta parte

Exposiciones orales

26

Prepararte la exposición

Para que salga bien una exposición oral cabe tener en cuenta tres fases importantísimas, que son:

- preparación,
- práctica,
- rendimiento.

Mediante los siguientes consejos, analizaremos sistemáticamente cada una de estas tres fases.

Hoy en día son pocos los estudiantes que terminan la carrera sin haber tenido que hacer de una manera o de otra una exposición oral. Como parte de una asignatura, pueden pedirte que hagas una exposición individual o bien con otro compañero. Asimismo, puede tratarse de una actividad evaluable. Sea como sea, siempre será una experiencia positiva que a su vez te será de gran ayuda cuando tengas que enfrentarte a entrevistas de trabajo, buscar empleo, etc. Prepararte bien una exposición es lo que marca la diferencia. Así pues, en este apartado compartiré contigo algunos consejos al respecto, para luego centrarnos ya en lo que es propiamente la exposición.

1. *¿Qué clase de exposiciones pueden pedirte?* La gama es relativamente amplia. Quizá te pidan que moderes un seminario con un grupo reducido de estudiantes, por poner un ejemplo. En el último curso igual te piden que expongas un trabajo de investigación que hayas hecho y cuyos contenidos sean un elemento importante de la asignatura. Las exposiciones de esta clase suelen ser evaluadas por profesores y, en algunas ocasiones, incluso por otros alumnos.

2. *No te pongas nervioso.* Mientras que para algunas personas una exposición oral es coser y cantar, para otras supone una experiencia aterradora. Para la gran mayoría, se trata de algo a medio camino. La primera vez que tengas que preparar una exposición oral, seguramente te parecerá muy duro. Sin embargo, tienes que pensar que en esta vida siempre hay una primera vez para casi todo y que luego ya te resultará mucho más fácil.

3. *Si existe algún motivo justificable que te* impida *hacer una exposición, actúa.* Si, por ejemplo, sufres algún trastorno del habla o no puedes hablar, no tendría sentido que te pidiesen que hicieras una exposición oral. No obstante, sí sería totalmente razonable que te pidiesen que la preparases. Si se tratase de una exposición que puntúa y no puedes hacerla, deberías poder negociar una alternativa con los profesores, teniendo siempre en cuenta tus posibilidades. Lo que no es aceptable de ninguna de las maneras es pretender que el miedo sea motivo suficiente para que no te pidan que hagas una exposición. Este tipo de excusas no lleva muy lejos.

4. *Por muy preocupado que te tenga la exposición, deja de preocuparte y empieza a prepararla.* Parte del temor está relacionado con el hecho de empezar a hablar, pero una vez que estés en ello, empezarás a relajarte. Sea como sea, tienes más posibilidades de sentirte relajado cuanto más sepas del tema. Por ello, vale la pena emplear algo de tiempo y energía preparándolo todo en vez de estar preocupándote.

5. *Infórmate de la duración.* Por norma general, se suele fijar un límite de tiempo bastante justo, ya sea en el caso de un semina-

rio o de una exposición propiamente dicha. Los contenidos de la exposición, pues, deberán ir en función del tiempo concedido.

6. *Infórmate de si sólo tienes que hablar o si luego habrá un turno de preguntas.* Normalmente se combinan ambas cosas. Evidentemente, si también tienes que responder a preguntas, tus conocimientos acerca del tema deberán ir más allá de lo que te hayas limitado a decir en la exposición.

7. *Infórmate del tema.* Quizá tú mismo puedas escogerlo. Si, por poner un ejemplo, expones algo referente a algún trabajo que hayas hecho anteriormente, hasta cierto punto ya tendrás el trabajo definido (aunque en estos casos se recomienda centrarse en una sola parte del trabajo). Otro ejemplo sería que te fuese asignado un tema como parte del programa de un seminario.

8. *Infórmate del público que asistirá.* ¿Cuántas personas habrá?, ¿se tratará sólo de estudiantes o también asistirá algún profesor?, ¿los conocerás a todos o quizá venga gente de fuera, como por ejemplo empresarios o doctorandos?

9. *Si van a evaluarte la exposición, pregunta cuántos puntos vale.* Puede que el criterio sea «apto» o «no apto», o también que no cuente demasiado para la nota final de la asignatura. Procura que tus esfuerzos vayan en función de la posible nota, es decir, no vayas a pasarte meses preparándote una exposición excelente y luego suspender un examen crucial por no haberle dedicado el tiempo suficiente.

10. *Busca información sobre el tema.* Ésta es, claro está, una de las razones por la que la exposición forma parte de la asignatura, ya que te obliga a buscar información. Se trata de un ejercicio muy útil que, además, tarde o temprano tendrás que poner en práctica.

11. *Busca todo lo que sea oportuno sobre el tema.* Los profesores suelen ayudar en este sentido, facilitándote bibliografía y fuentes adecuadas. Lo que tú hagas después hazlo ante todo teniendo en cuenta las sugerencias de los profesores.

12. *Anota las fuentes de la información.* Para la exposición necesitarás las referencias de cada una de las fuentes de documenta-

ción que hayas utilizado. Lo mejor es copiarlas a medida que consultes libros, revistas o páginas web, ya que si esperas una semana puede que no las vuelvas a encontrar y no puedas hacerte con detalles como autores, fechas, números de páginas, las URL de las páginas web, etc. En este sentido, es recomendable que te leas los consejos del apartado «Dar el debido mérito».

13. *Infórmate de los recursos con los que contarás para hacer la exposición.* Quizá tengas la posibilidad de utilizar una pizarra, ya sea tradicional o blanca, un retroproyector o un ordenador con el proyector correspondiente para una presentación PowerPoint. Asimismo, quizá hasta puedas utilizar más de un recurso.

14. *Pregunta si debes (o puedes) repartir fotocopias con información.* También puede ser que te dejen hacer una cantidad razonable de fotocopias para repartir entre el público, aunque lo más probable es que tengas que pagarlas de tu propio bolsillo.

15. *Prepárate las diapositivas, transparencias o fotocopias en el caso de que vayas a usar este tipo de material.* Una vez que sepas lo que les vas a mostrar a los asistentes, te será mucho más fácil planificar qué dirás al respecto a lo largo de la presentación.

16. *Hazte un guión o prepárate unas notas.* A casi todo el mundo le va muy bien anotarse, aunque sólo sea en un borrador, lo que va a decir. Como alternativa, quizá te vaya mejor elaborarte una lista con los puntos más importantes o títulos. Puedes elaborar tu discurso a partir de estas notas sin haberte preparado ningún guión.

17. *Piensa en cómo harás participar a los asistentes.* En las buenas exposiciones, los oradores suelen hacer participar al público mediante preguntas. A veces las respuestas tardan en llegar, pero se trata de una práctica que puede valer la pena.

18. *Ve ensayando.* El apartado «Preparar los soportes visuales» te da consejos sobre cómo encaminar tu presentación y practicar hasta sentirte seguro. Un aspecto importantísimo referente a la preparación es el tiempo. Si se trata de una intervención de diez minutos con un posterior turno de preguntas y respuestas también de diez minutos, deberías llegar al último punto de la exposición a los

diez minutos exactos, ya preparado para dar respuesta a las preguntas. No todo el mundo sabe controlar el tiempo durante una exposición, o sea que vale la pena prepararse en este sentido. Más adelante encontrarás información adicional al respecto.

19. *Si tienes intención de utilizar un soporte audiovisual, vete mirando los siguientes consejos.* Como apoyo a tu presentación, quizá tengas la intención de utilizar alguno de los siguientes recursos: una pizarra tradicional, una pizarra blanca, un retroproyector, etc. En todos los casos se trata de material que puede usarse bien o mal. Los siguientes consejos están pensados para que vayas bien encaminado.

27

Preparar los soportes visuales

El hecho de recurrir a los soportes visuales tecnológicos para tu exposición dependerá de factores como por ejemplo la duración, el tema que vayas a tratar o incluso de si se espera que te apoyes en la tecnología. Si no tienes intenciones de utilizar ningún tipo de soporte visual, sáltate estos consejos y pasa directamente al apartado dedicado a cómo ensayar. De lo contrario, mejor saber cómo funcionan estos aparatos. En este apartado encontrarás consejos que te ayudarán a dar una impresión muy positiva. Empezaremos hablando de los soportes visuales más sencillos para luego comentar los más sofisticados. En muchos casos, un consejo puede ser válido para cualquier tipo de soporte.

1. *Si vas a utilizar una pizarra, hazlo bien.* Procura no hablar mientras estés escribiendo en la pizarra. Asimismo, empieza a escribir en la parte superior, pues, de lo contrario, los que estén al final del aula no verán nada. Una vez hayas terminado de escribir, apártate a fin de que los asistentes vean bien lo que has escrito. No borres lo que la gente no haya leído todavía. Utiliza letras grandes para que los que estén atrás puedan leer sin dificultad. El mismo día de la exposición, asegúrate de que tienes a mano tiza y borrador.

2. *Si la pizarra es blanca pon en práctica los consejos del punto anterior.* Y, lo que todavía es más importante, utiliza los rotuladores adecuados, que para este tipo de pizarras deberían ser de tin-

ta deleble. Los de tinta soluble al agua ya no van tan bien, aunque también te servirán si luego limpias la pizarra con un trapo húmedo. Comprueba antes que lo escrito pueda borrarse completamente. Lo que no debes hacer de ningún modo es utilizar rotuladores permanentes, bolígrafos, etc., cuya tinta no se marcha y, además, te harían quedar muy mal, por no decir fatal.

3. *Si vas a utilizar un proyector de transparencias, límpialo antes.* Si el cristal está sucio, utiliza un trapo húmedo. Haz lo mismo si el cristal y las lentes tienen polvo. Así las transparencias se verán mucho mejor.

4. *Pon el proyector correctamente en marcha.* Ante todo, averigua cómo funciona y dónde está el botón de inicio, ya que cada proyector funciona de manera diferente. A continuación, mira cómo se enfoca y pregunta cómo utilizar el comando *fringe* para que la imagen no salga con los bordes borrosos ni coloreados. Como en el caso del botón de inicio, los mandos varían según el modelo de aparato.

5. *Asegúrate de que la pantalla está bien colocada.* Quizá tengas que utilizar una pantalla enrollable o una pizarra blanca. Éstas últimas no son demasiado adecuadas: una pared blanca es mucho mejor. Lo ideal sería tener la pantalla situada en un lugar que todos puedan ver bien y que tú, como orador, no la tapes.

6. *Busca un lugar donde dejar los papeles y transparencias.* En este sentido va muy bien tener al alcance una mesita, aunque muchos proyectores ya llevan incorporada una especie de estanterías. Ahora bien, en esta especie de estanterías caben pocas cosas y, además, suelen caerse.

7. *Procura que las transparencias sean legibles.* Hoy en día resulta relativamente fácil hacer transparencias con el ordenador o la fotocopiadora, siempre que utilices la lámina adecuada y que la presentación quede bien (incluso a color). Sin embargo, las transparencias escritas a mano también pueden quedar bien. En cualquier caso, lo que lo estropea todo es haber escrito con una letra demasiado pequeña, ya que los que estén atrás no podrán leer nada. Quizá tú mismo lo hayas experimentado alguna vez.

121

8. *Aprende a utilizar el PowerPoint si vas a preparar las transparencias con el ordenador.* El programa PowerPoint también sirve para preparar transparencias, es decir, no tiene sentido tomarte todas las molestias para preparar una presentación en PowerPoint si luego la vas a mostrar a través de un proyector. De todos modos, las transparencias que puedas hacer mediante este programa saldrán mejor que utilizando simplemente el procesador de textos. Asimismo, si quieres pasar diapositivas, puedes imprimir lo que te interese en láminas adecuadas. De este modo, si fallase la tecnología o no tuvieses ordenador, sigues teniendo una copia del material.

9. *Utiliza principalmente la parte superior de la pantalla.* Las transparencias te permiten mover la lámina si quieres que algo quede en la parte superior de la pantalla. No obstante, esta opción no es posible en el caso de las presentaciones en PowerPoint mostradas a través de un proyector. Por eso, puede ser una buena idea utilizar solamente la primera mitad de la diapositiva.

10. *Si al final utilizas el PowerPoint, acuérdate que debes tenerlo todo listo.* Por norma general, se trata de introducir un disquete o CD en el ordenador y la presentación aparece en pantalla en cuestión de segundos. Ahora bien, puede que no haya ordenador, ni proyector, ni mando a distancia, ni ratón, ni siquiera electricidad. Si tienes intenciones de utilizar el PowerPoint en la exposición, no es mala idea imprimir tres o seis diapositivas por página, porque, si por cualquier razón el ordenador no funcionase, como mínimo seguirías teniendo el material.

11. *Infórmate de si el servicio técnico del centro estará disponible el día de la exposición.* Para las exposiciones importantes, quizá puedas disponer de este servicio, lo que contribuye a que la preocupación por los aspectos tecnológicos sea la mínima. También puede que tú seas un buen técnico, aunque cuando la preocupación principal es la exposición siempre es mejor no tener que estar pendiente de la tecnología.

12. *El programa PowerPoint es de gran ayuda puesto que facilita la edición y mejora las presentaciones.* Se tarda mucho más en

editar nuevas transparencias y, además, resulta mucho más caro. Así que, en el contexto de tu presentación, vale la pena equilibrar los beneficios contra los riesgos y tener en cuenta el material y apoyo técnico que tienes a tu disposición.

28
Practicar la exposición

Tal como ocurre con casi todo, nada sale perfecto si no se practica. Aunque puede que esto no sea del todo cierto. Piensa por ejemplo en tus profesores: algunos son muy buenos dando clases (algo que guarda una cierta relación con las exposiciones orales), mientras que otros no lo son tanto. Lo que es verdad en ambos casos es que tanto unos como otros cuentan con un mínimo de experiencia. Así pues, centrémonos en los tipos de práctica que conducen a buenos resultados sin que la exposición te llegue a amargar la vida.

1. *Acostúmbrate a escuchar tu propia voz.* Puede irte bien ensayar en un aula vacía, similar al aula donde tendrá lugar la exposición, aunque, a decir verdad, cualquier sitio es bueno siempre que puedas hablar en voz alta sin tener que pasar vergüenza.

2. *Practica con el soporte visual que pienses utilizar en la exposición.* Si ya has puesto en práctica los consejos del apartado anterior sobre cómo gestionar este tipo de material, vale la pena dar la impresión de que tienes un cierto dominio y que no te cuesta utilizarlo. Éste es un aspecto de la exposición que no pasará desapercibido y supondrá puntos a tu favor.

3. *Controla todo lo que puedes decir en un espacio de tiempo determinado.* Esto es algo que sólo se descubre si se practica y que, además, puede sorprenderte. A veces, para verbalizar lo que está

sobre papel, se puede tardar mucho más de lo previsto. En cambio, hay ocasiones en que estás tan nervioso y hablas tan rápido que terminas antes de lo que tenías previsto. Teniendo en cuenta la importancia de este factor en casi todas las exposiciones orales, vale la pena que te asegures de que lo que vas a decir encaja perfectamente con el espacio de tiempo.

4. *Prepárate la introducción con especial atención.* La introducción determina la impresión que das al público y está claro que quieres que sea positiva. Mediante la introducción se explican los contenidos de la exposición y, si se quiere, cómo ésta va a llevarse a cabo.

5. *Practica la introducción.* Es en este punto donde te presentarás y darás a conocer a los asistentes el tema que vas a tratar. Asimismo, te recomiendo que en la introducción argumentes el interés del tema. Es importante ser ágil y que al final termines haciéndolo casi automáticamente, en vez de irte poniendo nervioso al empezar la exposición.

6. *Ten preparada una serie de datos «comodín».* Cuando llegue el momento de la exposición, puede que a causa de la tensión empieces a embalarte hablando. Si resulta que por este motivo te acaban sobrando unos minutos, te será muy útil tener preparados dos o tres puntos más sobre el tema y añadirlos, o profundizar en algún aspecto ya mencionado.

7. *Asimismo, ten preparadas vías de escape.* Siempre puede surgir algo que te impida terminar en el tiempo previsto. Por ejemplo, puede que la exposición del orador anterior haya durado más de la cuenta y tú hayas tenido que empezar más tarde. También puede que en el transcurso de tu exposición haya habido una interrupción o pregunta con la que no contabas. Cuando no hay tiempo, es mejor no decir todo lo que habías previsto y evitar las prisas. Así pues, en el caso de que vayas mal de tiempo, te será útil haber pensado antes cuáles son los puntos que te puedes saltar sin que nadie lo note. Asimismo, asegúrate de que no vas a sacrificar esa conclusión que tan bien te habías preparado.

8. *Practica hasta el momento en que ya no te sea necesario leer.* Tras haber practicado unas cuantas veces, verás que estarás hablando de un modo bastante natural con tan sólo la ayuda de una lista con los puntos principales, los cuales pueden coincidir con los que aparezcan en las diapositivas o transparencias que hayas preparado.

9. *Practica la conclusión.* Por muchas cosas que pasen a lo largo de una exposición, es importante que el final sea coherente. No te quedes parado, no dejes que tu exposición se apague. Termina con seguridad, dejando claro que has llegado a una conclusión. Cuando estés preparándote la exposición, imagínate que estás ante un público, que lo miras y que, al final de todo, le das las gracias. Asimismo, tras agradecerles su atención, puedes abrir un turno de preguntas.

10. *Ensaya delante de tus amigos.* Si tienes compañeros que también están preparando exposiciones orales, intentad entre todos ensayar juntos: te divertirás mucho más que hablando solo y, al mismo tiempo, observándolos tendrás más oportunidades de aprender cosas nuevas. Te darás cuenta de detalles que te harán pensar: «Eso me gusta. Intentaré incorporarlo en mi exposición». Asimismo, también verás cosas que no te gustarán tanto y pensarás: «Eso es algo que debo evitar en mi exposición».

11. *Observa cómo se desenvuelven otras personas.* Observa a tus profesores con interés renovado. Observa lo que hacen para mantener la atención de los alumnos o para que la gente se aburra soberanamente. En clase, toma notas que te sirvan para la exposición que vayas a hacer, tanto de lo que te gustaría incorporar como de lo que vas a evitar.

12. *Ensaya contestando a preguntas.* Para ello te será de gran ayuda contar con tus amigos. Tras haber practicado la exposición, pregúntales cosas, y haz lo mismo cuando ellos terminen las suyas. Responder es algo que cada vez te costará menos. Éste es un ejercicio que no sólo va bien para responder a las preguntas tras una exposición oral, sino que será toda una práctica para futuras entrevistas de trabajo o exámenes orales.

126

13. *Vete haciendo preguntas.* Una idea sería escribir preguntas en tarjetas y a continuación irlas extrayendo al azar e intentar responderlas. De este modo te darás cuenta de lo que más te cuesta contestar y de aquello sobre lo que necesitas buscar más información para poder contestar a las preguntas que te formulen.

29

Hacer la exposición oral

El día ya ha llegado. Ya tienes preparadas tus transparencias y diapositivas así como las fotocopias que vas a repartir. Entras en el aula donde vas a hacer la exposición oral, una exposición que sólo durará unos minutos y luego ya será historia: habrás acabado. Si se trata de tu primera exposición, piensa que nunca más tendrás que hacer otra primera exposición, porque la próxima ya será la segunda, y te costará mucho menos.

1. *Sé puntual.* Si tu exposición sigue a otra, se entiende que ya estarás en el aula. De lo contrario, o en el caso de ser el primero, olvida los nervios y llega pronto para organizarte debidamente.

2. *Comprueba si funcionan los aparatos que vas a utilizar.* Si se trata de un retroproyector, sitúalo en un lugar adecuado, enfócalo bien y prueba cómo funciona. Sobre todo mira cómo se enciende y se apaga. Si has optado por utilizar algo más ambicioso, como por ejemplo las diapositivas en PowerPoint, deberás dedicar algo más de tiempo a ver cómo funciona el equipo, hasta que sea coser y cantar.

3. *No te pongas nervioso mientras el público toma sus asientos.* A veces ayuda ponerse a charlar con el primero que entre, especialmente si se trata de alguien que ya conoces, y esperar a que todos estén sentados. Mientras tanto, controla el tiempo. En este sentido,

puede ser una buena idea quitarte el reloj y ponerlo junto a los apuntes para ir controlando la hora discretamente.

4. *Prepárate para empezar: ten en cuenta cuándo empiezas (anótalo si es necesario, para no olvidarlo) y luego ya puedes empezar de verdad.* Empieza con seguridad pero detenidamente. Si notas que estás empezando a hablar con un tono de voz chillón, vuélvelo a bajar. Preséntate, anuncia el título de la exposición y comenta de qué vas a hablar durante los siguientes minutos.

5. *Mira al público.* No fijes tu mirada en los apuntes, ni te quedes mirando el suelo, ni el techo, ni las paredes, ni la imagen que aparezca en la pantalla, ni mires por la ventana. Ninguno de estos elementos evaluará tu exposición.

6. *No te preocupes si te cuesta mirar al público.* Con un poco de práctica, conseguirás dar la impresión de estar mirando al público, cuando en realidad tu mirada irá todavía más lejos, lo cual es aún mejor que estar mirándolo fijamente.

7. *Déjate animar por el público.* Si la gente está interesada, verás que unos asentirán con la cabeza, otros sonreirán, etc. Los oradores suelen hacerlo todavía mejor cuando entre el público hay alguien que aprueba con la cabeza. Asimismo, intenta captar cuál es la reacción de tus profesores.

8. *Observa las reacciones del público.* Si, por ejemplo, en algún momento sueltas una bromita, pero no descubres sonrisa alguna entre los rostros del público, no vuelvas a hacerlo. Si en cambio ves que se lo están pasando bien, deja caer alguna más si lo crees conveniente. Piensa en la relación que tiene un cómico con su público, y cómo ésta puede variar según quien tenga delante.

9. *Si estás nervioso, dirige la atención del público hacia otro lado.* Si utilizas transparencias o diapositivas de PowerPoint, mientras cambias la diapositiva, el público deja de mirarte para fijar la vista en la pantalla. Estos momentos pueden servirte, entre otras cosas, para recomponerte, ver en qué punto de la presentación te encuentras o pensar qué es lo que te toca decir a continuación.

10. *No leas en voz alta lo que el público puede leer por sí solo.*

A la mayoría de personas no les gusta que les lean las cosas. Además, si estás mostrando una diapositiva con una información concreta, el público ya la estará leyendo. Y si has preparado fotocopias para repartir, no te limites a leer los contenidos: lo que sí debes hacer en estos casos es dirigir la atención del público y guiarles dando indicaciones como «En la parte superior de la página dos», etc.

11. *Avanza hacia la conclusión.* Toma las vías de escape antes mencionadas si ves que vas justo de tiempo y descarta los aspectos menos relevantes de lo que tenías preparado decir. Ahora bien, lo que jamás debes hacer es saltarte la conclusión. Si, por el contrario, ves que te sobra tiempo, sírvete de la información «comodín».

12. *No te alargues.* Si se supone que la exposición tiene que durar diez minutos y la haces en el tiempo establecido, darás una impresión muy profesional, es decir, de habértelo preparado muy bien.

13. *Abre un turno de preguntas.* Puede que cuentes con la ayuda de un moderador que determine a quién dar la palabra, etc. También puede que tengas que organizarte por tu cuenta y que aquellos que deseen hacer preguntas levanten la mano. Intenta seguir un orden para responder a las preguntas, teniendo en cuenta quién ha levantado la mano primero.

14. *Si* sabes *una respuesta, tómate tu tiempo.* Cuanto más rato puedas hablar de cosas que sabes, menos rato tendrás que estar pensando en qué decir. En este sentido, observa cómo hablan los políticos cuando los entrevistan por televisión: cuando están hablando de algo que realmente les interesa, hacen lo posible para que el entrevistador no cambie de tema. Sin embargo, tú debes ser más educado.

15. *Cuando te pregunten algo que no sabes, no hables por hablar.* Date tiempo para reflexionar. Una manera sutil de hacerlo es repetir la pregunta y recalcarla ante el público: si por ejemplo alguien de las primeras filas ha preguntado algo, quizá los que se encuentran atrás no lo han oído bien. Verás que es sorprendente todas las ideas que te pueden venir a la cabeza en los pocos segundos que tardas en repetir una pregunta. Otra opción es clarificar la pregun-

ta, es decir, a la persona que la haya formulado puedes preguntarle algo como: «¿Lo que quieres saber es…?» y luego explicar lo que entiendes al respecto.

16. *Si* realmente *no puedes responder a una pregunta, dilo.* Esto es algo que sólo debes hacer tras haber clarificado la pregunta y ver que realmente no puedes aportar una respuesta que tenga sentido. Ante esta situación, suele ir bien responder con una pregunta como por ejemplo: «¿Por qué crees que esto sucede?», o plantea al resto del público la pregunta que te hayan formulado, especialmente si ves que hay alguien que, por su reacción, parece saber la respuesta.

17. *Si tú mismo actúas de moderador, no te despistes con el tiempo.* Cuando veas que el turno de preguntas está llegando a su fin, di, por ejemplo: «Sólo nos queda tiempo para otra pregunta».

Tras responder a esta última pregunta, mira al público, sonríe y dales las gracias por su interés. A continuación ya podrás recoger los apuntes y retirarte.

18. *La exposición ya ha terminado, pero continúa tu aprendizaje.* Una vez hayas terminado, es recomendable reflexionar sobre lo que has hecho. Anota qué te ha aportado la experiencia y lo que crees que deberías tener en cuenta para la próxima ocasión, es decir, lo que cambiarías, lo que volverías a hacer igual, etc. Además, una vez hayas reflexionado sobre la exposición, podrás centrarte en otras actividades.

19. *Ten en cuenta los comentarios que recibas.* Cuando te encuentres a personas que hayan asistido a tu presentación, hazles preguntas concretas como por ejemplo: «¿Qué te ha gustado de la presentación?» o: «¿Cuál ha sido la parte que menos te ha gustado?». Seguramente sacarás más partido de las respuestas a este tipo de preguntas que si te hubieses limitado a preguntar: «¿Qué te ha parecido la exposición?».

20. *Sigue observando las tácticas que utilicen otros al exponer.* Una vez que hayas hecho la exposición, estarás mucho más receptivo. Al haberlo experimentado tú mismo, te será más fácil fijarte en lo que hacen bien o mal.

Quinta parte

Altibajos

30

Buenos y malos momentos

No eres un robot, aunque a veces te gustaría serlo; también te gustaría que todo a tu alrededor fuese fácil y sistemático. Pero la vida no es así. Lo más importante es saber llevar los altibajos que comporta el hecho de ser humano. Más adelante hablaremos de cómo superar las decepciones, pero por ahora nos centraremos en el aspecto más general de los cambios de ánimo, que son una parte normal de la vida diaria. Llegar a la cúspide es un reto, pero los siguientes consejos están relacionados en gran parte con la otra cara de la moneda, es decir, con saber llevar las decepciones.

1. *Acepta que pasarás por momentos buenos y por momentos malos.* No te vayas a pensar que te pasa algo por el mero hecho de tener la sensación de que cada día es distinto.

2. *No te convenzas de que estás demasiado abajo para conseguir alcanzar la cumbre.* Es probable que de buenas a primeras tengas esta sensación, pero una vez la hayas superado te parecerá que no tenía tanta importancia. En situaciones poco agradables, adopta la perspectiva de un helicóptero y mira tu situación desde la altura, objetivamente.

3. *Cuando estés pasando por un momento bajo, aparca el orgullo y busca consejo.* A tu alrededor tienes un montón de personas (amigos, compañeros de clase, familiares, profesores...) dispuestas

a echarte una mano. Asimismo, puedes solicitar el consejo de un profesional. El mero hecho de verbalizar tu problema ayudará a racionalizarlo y, como resultado, a empezar a superarlo tú solo.

4. *Puede que alguien que no conoces esté mejor capacitado para ayudarte que un amigo.* La ventaja de hablar con alguien que no conoces (sea un asesor, un médico o cualquier otro tipo de profesional) es que, una vez tengas superado el bache, no tienes por qué volver a hablar con ellos si no quieres. Quizás esto te vaya mejor que contarle el problema a un amigo por muy íntimo que sea o a un familiar y que luego, una vez lo hayas superado, te sientas un poco incómodo.

5. *Intenta no echar las culpas a otros.* Cuesta muy poco echar las culpas a otra persona ante una situación insatisfactoria. Quizá tú no tengas culpa de nada, quizá nadie tenga culpa de nada, quizás alguien tenga la culpa de todo, pero decidir quién tiene la culpa no ayudará a salir del bache.

6. *Procura no sentir remordimientos,* puesto que no suelen llevar muy lejos y no solucionan nada. Sea cual sea tu situación, piensa en lo que puede funcionar, en lo que puedes hacer para solucionar el problema.

7. *Si te encallas en un bache, procura no hundirte más.* En tus esfuerzos para superar un bache, procura no hundirte más, ya que lo que toca ahora es encontrar una solución factible. Mientras tanto, seguro que el bache no se hará más profundo por sí solo…

8. *…aunque podría llenarse de agua.* No descuides un bache durante demasiado tiempo. Pese a que es recomendable dejarlo un tiempo y dedicarse a otros quehaceres, conviene regresar al bache cuando estés preparado para afrontar el problema. Más adelante encontrarás consejos al respecto.

9. *Saca el máximo partido de cada momento álgido.* Cuando notes estar pasando por un momento especialmente productivo y eficiente y que además lo estés disfrutando, sigue así. Luego ya tendrás tiempo de relajarte. Ahora bien, no pierdas el tiempo con actividades irrelevantes, por mucho que te tienten. Aprovecha la ener-

gía de este buen momento para llevar lo más lejos que puedas aspectos que, en un futuro, vayan a ser cruciales para tus estudios.

10. *Controla tu ritmo.* No pretendas coronar la cumbre de buenas a primeras. Es cierto que cuando uno empieza a estudiar quiere esforzarse al máximo para demostrar que está capacitado para cualquier reto. Sin embargo, los esfuerzos deben medirse para tener la suficiente energía cuando realmente se necesite. Si te esfuerzas demasiado antes de tiempo, te estarás haciendo un flaco favor para cuando llegue la época de exámenes, por ejemplo.

11. *Administra tus obligaciones en espacios de tiempo razonables.* Incluso si estás pasado un bache y no te sientes demasiado en forma, seguramente habrá tareas que puedas afrontar y llevar a cabo satisfactoriamente. En momentos así, puedes dejar las tareas más complicadas para más tarde, siempre que esto sea razonable.

12. *Hazte ayudar por tus compañeros.* Si, por ejemplo, estás haciendo un trabajo en grupo, podéis expresar los altibajos al respecto y ayudaros mutuamente. Si le explicas un problema a un compañero, probablemente luego te parezca menos desalentador.

13. *No escondas tus sentimientos.* A todos nos gusta tener la sensación de ser siempre constantes, diligentes y equilibrados. Por ello, ante otras personas puede que optemos por disimular nuestros verdaderos sentimientos, ya sean de desesperación o euforia. No obstante, es importante que esto no suceda con nosotros mismos: sentirnos enfadados, frustrados, desganados o deprimidos es igual de normal que sentirnos eufóricos, motivados, enfurecidos y entusiasmados. Los humanos somos animales con sentimientos.

14. *Utiliza los altibajos como experiencias de aprendizaje.* Cuando estés viviendo un problema o un momento álgido o hayas pasado por una de estas experiencias, analiza qué estás aprendiendo de ello. Seguro que ambos casos producirán resultados tangibles que te resultarán válidos para ocasiones futuras, tanto negativas como positivas.

15. *Adelántate al temario.* El simple hecho de ir adelantado representa una recompensa y, lo que es más importante, al ir adelan-

tado tienes menos probabilidades de encallarte en un bache o, como mínimo, más probabilidades de superarlo.

16. *Conviértete en un malabarista.* Aprende a hacer malabarismos con varias bolas y a hacerlo en cualquier momento. No dediques demasiado tiempo a una única actividad, ya sea ésta los estudios o tu vida en general. Si te dedicas a varias actividades simultáneamente, puedes decidir en cuál concentrarte en un momento específico, escogiendo así la más pertinente para la ocasión. De lo contrario, quizá no puedas seguir adelante por no estar preparado para algo concreto.

31

Saber llevar las decepciones

A veces las cosas no salen como uno quiere. A lo largo del libro hemos analizado el valor de aprender de los errores y en el último apartado nos hemos centrado exclusivamente en saber llevar los altibajos. Las decepciones forman parte de los estudios, y en las dos siguientes listas de consejos vamos a analizar este tipo de momentos bajos, se haya o no cometido un error. Quizá no saques la nota que esperabas o que consideras que te merecías. Quizá no te reconozcan la parte que hiciste en un trabajo en grupo. Quizás alguien te defraude con una respuesta negativa. Quizás alguien en quien confiabas te decepcione. Quizá no te acepten una propuesta que tú considerabas buena. Quizá no te vaya bien la entrevista para un trabajo que realmente te interesaba. De vez en cuando a todos nos toca enfrentarnos a una decepción. No obstante, deberíamos ir más allá del mero hecho de saberlo llevar.

Analicemos, pues, modos para superar estas decepciones. Los siguientes consejos son especialmente válidos en el caso de sufrir una decepción concreta que tengas que superar. De todos modos, no te pongas a pensar ahora en decepciones: guarda estos consejos para cuando te hagan falta. Los consejos que siguen a continuación explican cómo aceptar la decepción, mientras que los consejos del próximo apartado explican cómo superarla.

1. *Analiza si realmente te sientes decepcionado.* Si te decepciona que alguien no haya hecho algo concreto, piensa que eso no tiene importancia, ya que no eres tú quien debe sentirse decepcionado. Una verdadera decepción no tiene nada que ver con que alguien te haya defraudado: podrías haberte defraudado tú mismo.

2. *Analiza en qué medida estás decepcionado.* Las decepciones llegan bajo múltiples formas y tamaños y acompañadas de múltiples emociones según las circunstancias. Los consejos que te doy a continuación abarcan una amplia gama de posibilidades. En este sentido, quizá la decepción que sufres sólo tiene que ver con algunos de los aspectos que plantearemos, pero leerlos íntegramente te será útil para ver cuáles son los que puedes aplicar a tu caso.

3. *No quieras convencerte de que no estás dolido.* Las decepciones a menudo hacen daño. De hecho, es así en la mayoría de los casos. Quizá no quieras que la gente se dé cuenta de que te sientes decepcionado, pero por lo menos debes ser sincero contigo mismo.

4. *No le des demasiadas vueltas para acabar resentido.* Ante una decepción, es mejor no darle demasiadas vueltas, puesto que tienes probabilidades de acabar sintiéndote todavía peor. Sin duda alguna debes analizar la situación a fin de superarla, pero sólo hasta adquirir una perspectiva que te sea útil en semejantes situaciones en el futuro.

5. *Consuélate estando bien acompañado.* Todos los que te rodean han sufrido decepciones y las seguirán sufriendo, y tú no eres una excepción. La decepción que puedas estar sufriendo en estos momentos quizá no será la peor de tu vida y por eso vale la pena ser realista. En el caso de que verdaderamente se tratase de la peor decepción, lo mejor que puedes hacer es irte animando y pensar que ya formas parte de la élite de los pocos que ya han pasado por su peor decepción y que, de ahora en adelante, cualquier cosa será mejor.

6. *Reconoce que sentirte así es, en gran parte, una manera de estar triste.* Acabas de perder algo, aunque se trate de algo que en realidad nunca tuviste, como por ejemplo una oportunidad o una esperanza, una ambición o un objetivo. En el caso de una verdadera decepción, todas las penas del mundo no servirán para superar la situación y proporcionarte aquello que perseguías. Quizás haya una próxima vez, o quizá no. Sea como sea, procura no estar triste durante demasiado tiempo.

7. *Analiza tus emociones: ¿en qué sentido te sientes decepcionado?* Puedes estar sintiendo más de una cosa. Quizás estés enfadado ante una injusticia o incluso contigo mismo. Quizá te sientas deprimido por no haber logrado el objetivo que te habías marcado o por no haber logrado lo que se esperaba de ti. Quizá temas algo, por ejemplo un suspenso, el no llegar a algo o decepcionar a otras personas. Va muy bien entender esta mezcla de emociones para, de este modo, poder abordarlas una a una del modo más adecuado. La siguiente lista aporta ideas al respecto:

- *Si estás enfadado*: ¿estás enfadado con alguien o contigo mismo? En el último caso, no resulta tan difícil evitar que suceda lo mismo en ocasiones futuras y ser más moderado respecto a lo que debes esperar de ti mismo. Este mismo consejo resulta válido si te has enfadado con otras personas.

- *Si te sientes deprimido*: este hecho normalmente está relacionado con las consecuencias de la decepción. Así pues, de encontrarte en una situación similar en un futuro, lo que debes hacer es tener en cuenta las consecuencias.
- *Si tienes miedo de algo*: puede irte bien pensar qué es lo que puedes hacer para minimizar los efectos del miedo que sientes. Una idea al respecto sería pensar qué puedes hacer para que tu nivel de rendimiento vaya más allá del miedo.

8. *Sigue analizándolas: ¿por qué te sientes tan decepcionado?* Pongamos como ejemplo a alguien a quien finalmente no se le ofreció un trabajo muy bueno que realmente había deseado. Tras una fuerte decepción, que parecía no desaparecer nunca, resultó que en realidad esta persona no había deseado ese trabajo tan especial, sino que simplemente había querido ser alguien. Muchas veces las decepciones duelen precisamente por esto, es decir, tienen más que ver con el hecho de no haber llegado a ser algo que con haber conseguido ese algo o con la posibilidad de hacerlo. Pero no siempre podemos convertirnos en lo que más nos gustaría. De hecho, lo que queremos ser a menudo queda fuera de nuestras posibilidades, por decirlo de algún modo directo, lo que impide que lleguemos a ser lo que deseamos. Sin embargo, esto no es nada negativo: tener aspiraciones es bueno, pero las posibilidades de sufrir decepciones son más altas. Siempre es mejor desear algo a pesar de no conseguirlo que nunca desear nada.

9. *Si te sientes humillado, reconócelo.* El sentimiento de humillación es lo que a menudo provoca la verdadera rabia que comporta una decepción. A veces nos es relativamente fácil aceptar no haber conseguido algo, hecho algo o incluso llegar a ser algo; lo que realmente nos cuesta es ver cómo otros se dan cuenta de ello. Así pues, vale la pena pensar que la mayoría de los habitantes de la Tie-

142

rra no tienen ni idea de lo que te ha pasado y que, de tenerla, probablemente no le darían la menor importancia. Luego, ¿tiene sentido hablar de humillación? La balanza, de hecho, es bastante limitada.

10. *Sé razonable sobre cualquier injusticia de la que te consideres víctima.* Tendemos a relacionar decepción con injusticia, lo que es cierto en algún caso: imagínate que has hecho un trabajo excelente y que, sin embargo, te ponen mala nota, o que seas el mejor aspirante a un puesto de trabajo y que finalmente se lo ofrezcan a otro. Lo que sigue siendo cierto es que estos elementos de injusticia suelen ser irreversibles, es decir, por muchos escándalos que armases, la decisión no cambiaría y encima correrías el peligro de hacer el ridículo. Bajo estas circunstancias, lo mejor es no tener en cuenta la injusticia, o sea, no hacerse mala sangre, ya que, de ser así, al final el único perjudicado serás tú.

11. *Evita la reacción «Ojalá no lo hubiese hecho».* Si la decepción tiene que ver con un examen que has suspendido por no haber estudiado, con un trabajo que finalmente no te han ofrecido por haber dicho algo que no venía al caso durante la entrevista o con alguien a quien no has logrado impresionar por haber enfocado mal lo que te estaba pidiendo, acepta que ya no hay remedio. El único sentido de las palabras «Ojalá no lo hubiese hecho» es que, la próxima vez, sabrás cómo actuar. Así pues, pese a la mala experiencia, ciertamente habrás aprendido algo. Este «Ojalá no lo hubiese hecho», una vez hayas analizado la causa, deberás conjugarlo con un verbo en futuro y decirte algo como: «La próxima vez que me encuentre en una situación similar, voy a…».

12. *Ve más allá de la autocompasión.* Toda decepción puede tomarse como algo positivo de cara al futuro. Del mismo modo que aprendemos de los errores que cometemos, también podemos aprender de los desengaños.

13. *Pregúntate si quizá se trataba de un sueño destinado a no hacerse realidad.* Al sufrir una decepción, resulta peligrosamente fácil ver solamente los aspectos positivos de cómo hubiesen sido las cosas si hubiesen salido tal como esperábamos. Por este motivo,

nos cuesta darnos cuenta de lo que también hubiese podido ir mal si nuestro sueño se hubiese cumplido, puesto que muchas veces los sueños acaban siendo pesadillas.

14. *Recuerda que sigues siendo el mismo*. Sufrir una decepción no significa ni mucho menos que pases a ser una persona inferior. Quizá tengas la sensación de ser inferior y sentir vergüenza, lo que puede ser totalmente cierto. Quizás hayas perdido una oportunidad para conseguir algo que deseabas verdaderamente, llegar a ser otro, hacer algo distinto, pero sigues siendo tú. Una vez aceptes la decepción y la tengas bajo control, serás aún más fuerte. Quizá te sentirás más triste, pero también más firme, con más experiencia, más comprensivo con las decepciones de otras personas y más preparado para superar las que puedas experimentar en un futuro. Los próximos consejos tienen que ver con cómo actuar para superar una decepción.

32

Superar una decepción

Los consejos que acabamos de ver estaban relacionados con el hecho de reconocer una decepción. A continuación analizaremos qué puedes hacer para superarla.

1. *Vuelve a analizar tus expectativas.* A veces esperamos demasiado, ya sea de nosotros mismos, de otras personas o de ambos. Ante todo es necesario que nos preguntemos si nuestras expectativas eran inapropiadas, si eran imposibles o si eran poco realistas. Una respuesta negativa significa que nosotros mismos nos lo hemos buscado, por lo menos en parte.

2. *Comenta tu decepción así como lo que has aprendido de ella.* Ésta es una de las mejores terapias para superar tu decepción y olvidarlo todo y también te servirá para aprender. En estas circunstancias, la persona más adecuada a quien dirigirte es alguien que sepa escuchar, que se interese por tus ideas y por tus sentimientos para minimizar futuras decepciones como ésta y que también te ayude a aclararte las ideas. No te conformes con alguien que se limite a aconsejarte.

3. *No abuses de la comprensión de la gente.* Puede que a tu alrededor haya personas comprensivas y compasivas que se solidaricen con lo que estés pasando. Es cierto que esta comprensión, por lo menos durante un tiempo, consuela, pero tarde o temprano estas mis-

mas personas dejarán de mostrar esta solidaridad, olvidándose por completo de tus sentimientos.

4. *Procura que la decepción no dure demasiado.* Por muy humillado que te sientas, debes saber que el resto de personas ni se acordarán del asunto una semana más tarde y que, cuando haya pasado un mes, todo será historia. Pero existe el peligro de que éste no sea tu caso y que sigas pasándolo mal una vez todos ya lo hayan olvidado. Pensar en ello no te hará ningún bien.

5. *Sana tus heridas y sigue adelante.* Piensa en la próxima vez que te pase algo similar. Tras el dolor de una decepción, puede que no puedas ir «a todo gas», pero sí puedes empezar a arrancar. Ahora es el momento de ser realista y de dejar de soñar despierto y de darle vueltas a las cosas o los objetivos imposibles. Ve pensando en consejos que tú mismo puedas darte si en el futuro experimentas una situación similar. A medida que pase el tiempo, la decepción te irá doliendo menos hasta desaparecer. También cabe la posibilidad de que no llegue a desaparecer por completo, aunque, llegado un cierto punto, no le darás tanta importancia.

6. *Reconoce tus puntos débiles.* Aprender de una decepción implica darse cuenta de los puntos débiles de uno mismo. Una vez reconocidos, procura considerarlos puntos negativos latentes e intenta evitarlos para que vayan perdiendo importancia. Observa cómo se las arreglan otras personas cuyos puntos débiles coinciden con los tuyos.

7. *¿Qué más hubieses podido hacer?* Esto es algo que a veces está muy claro y aprender de una decepción cuesta bien poco. Si, en cambio, el desenlace fatal era inevitable porque no había nada que hacer, puede que la decepción tuviese que ver con haber empezado con una actitud exageradamente optimista. En casos así lo que se aprende es a ser realista.

8. *Ve acumulando experiencia.* Todas las experiencias sirven para algo, aunque sólo sea para conocernos a nosotros mismos. Sentirse escarmentado, pese a que ofrece poco consuelo, sí es un sentimiento muy realista. No adquiriremos ningún tipo de experiencia

si no estamos dispuestos a sacar el máximo partido de las decepciones y a aprender para que la próxima decepción duela menos. La experiencia que adquirimos nos ayuda a saber desenvolvernos con más efectividad, especialmente en las ocasiones en las que no vamos a obtener lo que en realidad desearíamos.

33
Superar problemas

Por muy bien que lo planifiquemos todo, de vez en cuando se nos presenta algún problema. Los problemas pueden ser de distinta índole: personales, académicos, sociales, económicos, etc. Los siguientes consejos no sólo pueden ayudarte a saber abordar los problemas que se te puedan presentar, sino también a hacer que parte de ellos se conviertan, por lo menos, en una ventaja, ya que abordar y solucionar problemas es positivo para tu aprendizaje.

1. *Acepta que es normal tener problemas de vez en cuando.* Algunas personas incluso se atreverían a afirmar que uno no vive de verdad si no tiene problemas. No cabe duda de que a todos nos gustaría no tener problemas, pero por naturaleza los seres humanos, si no tenemos problemas graves, empezamos a darle importancia a cosas insignificantes.

2. *Racionaliza el significado de la palabra «problema».* Lo que es grave es no tener ni idea de cómo resolver un problema. Una vez sepas qué hacer para resolverlo, el problema se convierte en una mera tarea de la que ocuparse.

3. *Cuando tengas un problema, reconócelo.* No actuar ante un problema puede llevar a que éste se agrave. Huir de un problema no significa que vaya a desaparecer, sino todo lo contrario: puede que vaya a peor.

4. *No vayas a creer que nadie tiene un problema como el tuyo.* Son muy pocas las personas que tienen problemas únicos. Casi todos los problemas ya han sido experimentados anteriormente y volverán a serlo en el futuro. Esto significa que siempre habrá alguien que te explique cómo superó algo similar y, por la misma razón, en un futuro tú también podrás ayudar a otras personas.

5. *No esperes una solución rápida cada vez que tengas un problema.* Para ciertos problemas existen soluciones inmediatas, aunque no siempre es así. A veces ocurren milagros, pero es mejor no esperarlos: esperar un milagro puede significar haber estado perdiendo el tiempo que te hubiese podido servir para encontrar una vía lógica para solucionar el problema.

6. *No pierdas tiempo o energía buscando el culpable del problema.* Quizá tú no tengas culpa de nada, pero darle vueltas no hace desaparecer el problema. En el caso de que la culpa sea tuya, tampoco tiene sentido irla reconociendo en vez de dejar claro que no volverás a actuar de este modo la próxima vez.

7. *Párate a pensar quién tiene realmente el problema.* Esto no quiere decir lo mismo que buscar el culpable. Hay muchas personas que se pasan la vida preocupándose por problemas ajenos sin poder aportar demasiadas soluciones. Los problemas que realmente puedes solucionar son los tuyos y, por ello, cuando hay un problema, es importante que te des cuenta lo antes posible. No cabe duda de que puedes ayudar a otras personas y viceversa, pero en estos casos siempre debe haber una buena colaboración entre ambas partes.

8. *Detecta qué problema tienes.* Cuando se está bajo presión, es fácil pensar que tienes a todo el mundo haciéndote la vida imposible. Esto, sin embargo, sólo es una sensación muy lejana de la realidad. Cuando empieces a objetivar tus problemas, verás que las cosas que tienes en contra son pocas y al final entenderás que toda esa colección de problemas son un único problema con algunas dificultades.

9. *Elabora una lista de tus problemas según la importancia.* Esto es algo que ayuda mucho, sobre todo cuando creemos tener va-

rios problemas. Puede ser un gran alivio ver cuáles son los problemas prioritarios y cuáles los secundarios, a los que podemos dedicarnos más tarde.

10. *Vuelve a elaborar una lista de tus problemas, pero esta vez dependiendo de la urgencia.* Puede que un problema, por muy pequeño que parezca, requiera que en un momento dado tengas que dedicarle más atención que a un problema más grave pero menos urgente. Encontrar el equilibrio entre urgencia e importancia puede ahorrarte mucho tiempo y preocupaciones a la larga.

11. *Piensa en los problemas uno por uno.* Siempre es mejor dedicarte sistemáticamente a un problema que querer solucionar todos los problemas a la vez. Ver cuáles son los más importantes y cuáles son los urgentes te servirá para decidir por dónde empezar.

12. *A veces ayuda solucionar primero uno o dos problemas sencillos para luego dedicarse a los más complicados.* Esto te puede ayudar a por lo menos tener la sensación de estar avanzando y coger el ritmo para empezar a abordar otros problemas más serios.

13. *Cuando tengas un problema grave, explícaselo a alguien.* Si es posible, habla con más de una persona. El hecho de expresarlo ayuda a que parezca menos grave y más fácil de solucionar. Eso sí, escoge bien a quién contárselo: para ciertos problemas es mejor hablar con alguien a quien no conoces demasiado, incluso con alguien con quien sabes que no vas a volver a hablar. A veces es importante no mezclar una amistad muy buena con un problema específico.

14. *Ante todo, intenta ver la causa del problema.* Quizá no te ayude a resolverlo, pero puede servirte para evitar que surjan problemas parecidos en el futuro. Encontrar la causa suele ayudar a solucionar un problema.

15. *Evita que el problema se agrave.* Las tácticas para resolver un problema suelen ser precisamente todo lo contrario de lo que harías para que éste se agravase. Asimismo, va bien pensar en las dimensiones que el problema hubiese podido cobrar para darse cuenta de que, después de todo, quizá no se trate de algo tan grave.

16. *Busca* tres *vías para mejorar la situación.* Piensa en algo

que puedas hacer inmediatamente, algo que puedas hacer luego y algo que puedas hacer a largo plazo y que te sirva para solucionar el problema.

17. *Explícale a alguien lo que tienes intenciones de hacer.* Sobre todo cuando se trata de un problema grave, va muy bien que otras personas sepan cuáles son tus objetivos; de este modo alguien verá si realmente estás buscando una solución o si el problema sigue ahí porque no empiezas a actuar al respecto.

18. *Elabora un esquema de lo que quieres hacer.* Esto te servirá para ver que estás abordando el problema de un modo estructurado y organizado y que, como resultado, estás progresando, aunque lo hagas despacio.

19. *Piensa que cada problema es una oportunidad para crecer como persona.* Incluso el problema más grave puede haber comportado una muy valiosa experiencia de aprendizaje, aportándote capacidades para toda la vida. Asimismo, un problema podrá servirte para aprender a ser perseverante, paciente, decidido y seguro de ti mismo.

34
Evitar problemas

Los próximos consejos están pensados para que evites los problemas, pero también para que sepas superarlos en el caso de tenerlos. Desgraciadamente en este mundo todavía hay rincones peligrosos, hostiles y por civilizar y, en estos tiempos, un lugar con estas características puede estar a la vuelta de la esquina. Al igual que en otras muchas partes de este libro, sólo nos centramos en lo que es de sentido común, aunque es cierto que la sabiduría suele derivar de la experiencia y la opción más inteligente es, ante todo, evitar las malas experiencias.

1. *Mentalízate de que a veces los estudiantes pagan los platos rotos.* Esto es algo que puede fácilmente suceder en momentos de tensión entre la comunidad estudiantil y el resto de ciudadanos de un lugar. Estas tensiones pueden ser fruto de un auténtico problema, como por ejemplo el aumento de ruido, basura y tráfico causados por la llegada de un número considerable de residentes temporales, los estudiantes en este caso.

2. *Haz lo posible para que no te echen las culpas.* De noche cualquier tipo de riesgo parece poder incrementar, ya sea yendo solo, si hay poca gente por la calle o si estás en un sitio que tenga mala fama. Pregunta cuáles son los lugares a los que jamás debes ir solo y las horas más problemáticas.

3. *Pocas cosas generan tanta hostilidad como un vehículo mal aparcado.* Si no tienes coche, esto no debe preocuparte a no ser que algún amigo tuyo se meta en algún lío por haber aparcado mal. Si en cambio tienes coche, recuerda que tu vehículo puede ser objeto de alguna mala acción si el ambiente está caldeado. A algunos vecinos les molesta que gente de fuera aparque en lo que ellos consideran «su territorio», pese a no tener razón desde el punto de vista legal. Si te encuentras en una situación así, es mejor que cojas el coche sin protestar y busques aparcamiento en otro sitio. Por mucho que estés en tu derecho de aparcar en un sitio concreto, es recomendable no correr ningún riesgo.

4. *Piensa dónde y cuándo utilizar los cajeros automáticos.* Está claro que no es prudente utilizar un cajero automático en una zona oscura por donde no pasa nadie (excepto alguien a quien le interese tu dinero). Incluso en las zonas más concurridas es mejor no utilizar cajeros si tienes las manos ocupadas con toda la compra.

5. *Evita que te roben.* Aunque nadie quiere que le roben, algunas personas se lo ponen fácil a los carteristas. Así, por ejemplo, llevas la tarjeta de crédito en el bolsillo de la chaqueta y la dejas en el taburete de un bar lleno de gente, no te extrañe que ya no esté cuando vayas a buscarla.

6. *«La bolsa o la vida.»* Si te encuentras en esta situación, tú eres lo primero. Lo mejor sería que llevaras el dinero bien escondido para no tener que desprenderte ni de un céntimo, aunque te vieses obligado a tener que dar algún objeto de valor sentimental. Precisamente por esto es recomendable no llevarlo todo en un mismo bolsillo, monedero o bolsa, ya que con eso le facilitas el trabajo a los carteristas.

7. *Si te para la policía, mantén la calma y muéstrate educado.* Puede que algún día te pare la policía, especialmente si es de noche, eres joven y tu aspecto da pie a sospechas. Ante esta situación, mantén la calma y responde a todo lo que te pregunten. No es buena idea inventarse el nombre o las señas, pero, hagas lo que hagas...

8. *¡No confieses nada!* Confesar haber hecho algo cuesta muy poco, sobre todo cuando uno se siente un poco confundido por haber bebido algo o por la conmoción. Si has confesado algo, luego te resultará muy difícil retirar lo que hayas dicho.

9. *Sigue mostrándote educado si te llevan a comisaría.* Con prudencia, pide que te dejen hacer una llamada telefónica. Piensa quién es la persona más adecuada para que vaya a buscarte o avalarte. Siempre será mejor alguien que sepas que cogerá el teléfono inmediatamente que alguien que no dé señales de vida hasta el día siguiente. Lo mejor es llevar encima un número de teléfono como mínimo.

10. *Si te has comportado indebidamente y te detienen, pide ayuda.* Claro que no serías la primera persona que se encuentra en esta situación. Intenta minimizar las dimensiones del problema poniéndote en contacto con algún profesional que lleve tu caso si es que termina en los tribunales. En este sentido, existen asesores dedicados a escuchar y aconsejar, pero no a juzgar.

11. *Identifícate.* A nadie le gusta la idea de que le tengan que identificar en caso de atropello o desmayo, por ejemplo. Sin embargo, ante una emergencia, conviene por tu bien poder ponerse en contacto con algún familiar u otra persona que se pueda localizar y que especialmente pueda facilitar información acerca de tu historial médico: esto podría salvarte la vida.

12. *Lleva encima una lista de direcciones útiles.* Nunca se sabe cuándo vas a poder necesitar ponerte en contacto con una persona determinada, sea ésta un familiar, un amigo o alguien de la universidad (por ejemplo, el jefe de un departamento o tu tutor). Apunta estas direcciones en más de un sitio, ya que si perdieses la agenda podría costarte mucho volver a recopilar todos los datos. Anota teléfonos y direcciones tanto electrónicas como convencionales.

Sexta parte

Preparación de exámenes: demuestra tus capacidades

35

¿Qué evalúa un examen?

Esta parte no contiene exactamente consejos para los exámenes, algo que veremos más adelante, sino ideas para que reflexiones y que al mismo tiempo te sirvan para ir bien encaminado desde el comienzo. Estamos pensando concretamente en el tipo de examen al que tienes más posibilidades de tener que enfrentarte (aula en silencio, a contrarreloj, respondiendo a preguntas que acabas de leer, bolígrafo en mano y folios en blanco para las respuestas). El nombre técnico para estos exámenes sería «exámenes escritos a contrarreloj y con sorpresas». Existen, sin duda, otras modalidades de examen: con libros, exámenes escritos cuyos contenidos ya se han avanzado y exámenes tipo test, por citar algunos ejemplos. Más adelante encontrarás consejos al respecto. Pero por ahora nos vamos a centrar en la modalidad de examen más común, con la que seguramente ya estarás familiarizado. A pesar de ello, ¿alguna vez te has parado a pensar qué es lo que realmente se calibra en un examen de éstos? Pues bien, ahora te toca pensarlo. Por muy bien (o muy mal) que te hayan salido los exámenes que hayas hecho hasta ahora, a partir de este momento debes mirar hacia delante. Así pues, piensa en los próximos exámenes y en lo que se estará calibrando entonces.

1. *¿Qué conocimientos has adquirido con una asignatura?* Éste es un aspecto que un examen escrito sólo puede evaluar hasta un

cierto punto. Al fin y al cabo, siempre habrá montones de cosas que sepas pero que no aparezcan en el examen. También te sabrás otras cosas que tienen poca relación con las preguntas. Por lo tanto, se puede decir que lo que evalúan los exámenes escritos es lo que sabes de una pregunta específica, lo que sólo representa una pequeña parcela de todos los conocimientos que hayas podido adquirir.

2. *¿Qué conocimientos* no *has adquirido?* Los exámenes tienden a evaluar lo que no sabes de una pregunta concreta, lo que tan sólo representa una parte de lo que no te sabes de una asignatura. Sin embargo, cada vez que no te sabes una pregunta la nota baja.

3. *¿Cuánto has estudiado?* Un examen realmente no puede evaluar este aspecto. Lo que está claro es que si has sido constante a la hora de estudiar, seguramente sacarás mejor nota que si te hubieses limitado a repasar el tema a última hora. A pesar de ello, lo que realmente importa no es el tiempo que hayas estado estudiando, sino cómo lo has hecho. El siguiente punto habla de este aspecto.

4. *¿Cómo has estudiado?* Esto sí que se capta bien en un examen. Si durante las horas de estudio también has reflexionado sobre cómo contestarás a las preguntas, sin duda irás al examen con ventaja. Si, además, mientras has estado estudiando has tenido en cuenta un aspecto tan importante como la agilidad, todavía tendrás más ventajas, ya que tendrás tiempo de sobras para redactar bien las respuestas. Lo que pretenden los consejos sobre técnicas de estudio de este libro es ayudarte a maximizar la calidad, y esto no implica necesariamente tener que pasar más horas estudiando.

5. *¿Tu coeficiente intelectual?* Rotundamente no. El coeficiente intelectual está relacionado con muchas cosas y no puede medirse con un examen. Ahora bien, con un examen sí puede verse si has estado estudiando inteligentemente. Por lo tanto, este libro sí debería servirte para que saques el máximo partido a tu inteligencia.

6. *¿Cuánto has estudiado antes del examen?* Éste es otro aspecto que tampoco puede medirse con un simple examen. Si empiezas a estudiarlo todo a última hora, seguro que cuando llegues al aula lo

tendrás fresco en la cabeza. Ahora bien, puede que estés tan cansado que no contestes bien. Por lo tanto, te estarás haciendo un flaco favor si lo dejas todo para última hora.

7. *¿Has estado tranquilo durante el examen?* Este factor sí se pone de manifiesto en un examen. Si estás tranquilo y relajado, leerás mucho mejor los enunciados, entenderás lo que te están pidiendo y encontrarás la mejor respuesta posible a fin de sacar tanta nota como puedas. Así pues, es importante mantener la calma a lo largo de un examen. Esto depende en gran parte de la confianza que tengas en ti mismo, que a su vez depende de saber que te has preparado el examen de un modo adecuado y eficiente, hecho que de nuevo se relaciona con la calidad de tu método de estudio.

8. *¿Cuánta memoria tienes?* Puede que el examen sí tenga en cuenta este factor, ya que para muchos exámenes escritos se necesita una buena memoria. Para aprobar un examen, te deberás saber ciertas cosas. Pero ¿qué cosas? Hay por lo menos tres aspectos: saber algo, la manera en que se sabe y por qué se sabe. La memoria está relacionada con estos aspectos, aunque la manera en que se sabe algo está directamente relacionada con la práctica. Por ello, muchos de los consejos más importantes de este libro tienen que ver con la práctica a medida que se estudia y, sobre todo, con la idea de que tú mismo te vayas elaborando un banco de preguntas para que tengas material con el que practicar.

9. *¿Haber intuido qué preguntas caerían?* Esto es algo que hasta cierto punto se tiene en cuenta en casi todos los exámenes cuyos contenidos no han sido avanzados. Si antes del examen has intuido qué preguntas caerían y has estado preparándotelas hasta conseguir las respuestas adecuadas, seguro que el examen te irá bien. Ahora bien, la intuición a veces falla y quizá no te pregunten nada de lo que te habías preparado y te encuentres ante preguntas centradas en otros aspectos. Es aquí donde se ven los resultados de haber elaborado un banco de preguntas que, hecho a conciencia, debería incorporar todas y cada una de las posibles preguntas que pueden salir en el examen y no solamente las más obvias o probables.

10. *¿El tiempo que tardas en pensar?* Hay modalidades de examen que tienen en cuenta el tiempo que tardas en pensar una respuesta, como por ejemplo los test por ordenador, mediante los cuales tomas decisiones y seleccionas opciones aunque no tengas que escribir nada. En cuanto a los exámenes escritos, éstos tienen más que ver con pensar bien que con hacerlo rápido. Asimismo, no te puntuarán por lo que has pensado, sino por cómo has plasmado por escrito lo que has pensado. A veces se nos puede ocurrir algo en cuestión de segundos y, en cambio, para plasmarlo por escrito necesitamos un par de minutos. Así pues, en el caso de los exámenes escritos, es mejor que no te preocupes demasiado en la rapidez a la hora de pensar.

11. *¿El tiempo que tardas en leer una pregunta?* ¡Ni mucho menos! Los exámenes escritos tienen en cuenta si lees bien una pregunta, pero no el tiempo que tardas en hacerlo. Si la lees demasiado rápido, tienes más probabilidades de entenderla mal y se te puede escapar el punto principal. Es normal que con los nervios quieras leerlo todo y averiguar de qué van todas y cada una de las preguntas, pero en un examen es mejor no caer en esta tentación: es mucho más importante asegurarte de que entiendes exactamente qué es lo que te están preguntando en cada caso.

12. *¿Qué criterio utilizas cuando puedes escoger las preguntas?* Éste sí que es un aspecto importante en muchos exámenes. Si puedes escoger las preguntas, que sean las adecuadas, es decir, ésas que sabes que vas a contestar mejor. Y esto es algo que solamente podrás hacer si primero te lees todos los enunciados detenidamente. A veces, incluso con las mejores intenciones, puedes equivocarte en la elección y luego tener que cambiar de pregunta. Es mejor que esto te ocurra lo menos posible.

13. *¿Cuántas veces te lees una pregunta?* Los exámenes sí tienen en cuenta este aspecto. Por eso es recomendable que, cada pocos minutos, leas de nuevo la pregunta que estás contestando. Esto te ayudará a no divagar y a no perder tiempo y energía en escribir cosas que no vienen al caso. Piensa que si escribes algo que no te están preguntando, no te puntuarán.

14. *¿Cuánto tardas en escribir la respuesta a una pregunta?* Por desgracia este factor también queda reflejado en un examen escrito. Si escribes rápido y encima lo haces con buena caligrafía, no tienes por qué preocuparte. Ahora bien, si eres lento escribiendo, tendrás que tomar medidas al respecto: deberás centrarte más en la calidad de lo que escribes y menos en la cantidad. En este sentido, es conveniente que los días antes del examen, mientras estudies, vayas redactando respuestas breves pero buenas.

15. *¿La legibilidad de tu caligrafía?* Este factor también puede contar en un examen. Si quien lo vaya a corregir no entiende tu letra, no podrá puntuarte. Si le cuesta leerla, no podrá ponerte toda la nota que quizá te merezcas. Por eso, si haces mala letra cuando trabajas bajo presión, como puede suceder durante un examen, deberías practicar escribiendo más despacio a fin de que mejore ya no solamente lo que respondas, sino también tu caligrafía.

16. *¿La estructura de tus respuestas?* Éste también puede ser un factor importante. Teniendo en cuenta cómo reaccionamos las personas, el profesor que esté corrigiendo seguramente dará más nota a un examen con las respuestas bien estructuradas que a uno cuya información aparezca desorganizada. Más adelante encontrarás consejos para ayudarte en este sentido.

17. *¿Cómo te administras el tiempo?* Sin duda esto es algo que queda reflejado en cualquier examen. Para los exámenes en que dispongas de un tiempo concreto, lo más seguro es que tengas que ir a contrarreloj. Si trabajar así se te da mejor que a otros compañeros, seguramente sacarás mejor nota. Así pues, vale la pena cultivar la buena gestión del tiempo en el aula de examen. También encontrarás consejos a este respecto más adelante.

18. *¿Repasas las respuestas antes de entregar el examen?* Este factor también es de suma importancia, ya que la nota puede cambiar considerablemente si has repasado las preguntas. Esto significa que deberás reservarte unos minutos para este propósito y tener tiempo para añadir y corregir la información a medida que vayas repasando. También encontrarás consejos a este respecto más adelante.

36

Elaborar un banco de preguntas

Imagínate lo bien que te iría unas semanas antes de examinarte tener una lista con todas las preguntas que pueden salir en el examen. Pues bien, esta lista la puedes elaborar tú mismo: elaborar y utilizar esta lista de preguntas puede ser clave para estudiar efectiva y eficientemente. Asimismo, este último aspecto se traducirá en una buena nota y en todo lo que esto comporta. Pero ¿qué es un banco de preguntas y cómo se elabora? Los consejos que te doy a continuación te lo explican.

1. *Si sabes qué van a preguntarte, te será fácil responder a todas las preguntas.* La queja típica después de un examen es: «Ojalá hubiese sabido lo que iba a caer…». Pero lo que sí puedes hacer con tiempo es empezar a pensar en las posibles preguntas.

2. *Nunca es demasiado pronto para empezar a recopilar preguntas.* De hecho, es recomendable que empieces a elaborar un banco de preguntas tan pronto como empieces a estudiar un tema. Puedes empezar incluso antes a anotar esas preguntas cuya respuesta crees que tarde o temprano deberás conocer.

3. *Es útil adoptar este hábito.* Muchos estudiantes que han elaborado y utilizado el banco de preguntas como método de estudio siguen haciéndolo, ya que la mayoría opina que se trata de uno de los métodos más efectivos y eficaces para controlar diariamente el

aprendizaje de una asignatura. Asimismo, también opinan que utilizar un banco de preguntas como herramienta de estudio es una de las mejores maneras de estudiar ordenada y sistemáticamente.

4. *Nunca es demasiado tarde para añadir preguntas*. Cuando ya falte poco para el examen te seguirán viniendo posibles preguntas a la cabeza. De todos modos, es recomendable no añadir demasiadas preguntas a última hora, ya que puedes desanimarte al ver que todavía hay muchos aspectos que no dominas.

5. *Tipos de preguntas*. Las preguntas más adecuadas para esta actividad son las concisas, directas y de una sola línea. Deberías terminarlas todas con un interrogante, hecho que te ayudará cuando tengas que responderlas. Asimismo, todas deberían contener una partícula interrogativa.

6. *Pregúntate qué es lo que se espera que hagas con este material*. Esto es algo que debes preguntarte constantemente: en clase, cuando leas, cuando hables con tus compañeros, cuando estés pensando en un tema, etc. Piensa qué es lo que te pedirán que hagas en un examen y, a partir de aquí, empieza a elaborar las preguntas que

163

te parezcan más adecuadas y luego intenta encontrar las respuestas correspondientes.

7. *¿Qué es una partícula interrogativa?* Al ser pocas, es fácil retenerlas. Las principales partículas interrogativas son «por qué», «qué», «dónde», «quién», «cómo» y «cuándo».

8. *La palabra «más» puede serte muy útil en el banco de preguntas.* Una vez hayas respondido a «por qué», «qué», «dónde», «quién», «cómo» y «cuándo», piensa qué más sabes acerca de cada uno de estos aspectos.

9. *Utiliza el programa de la asignatura.* Puede que éste se exprese a través de los objetivos y que, para ello, se detalle lo que se espera que llegues a aprender para demostrar que dominas un tema. Así pues, te recomiendo que elabores preguntas a partir de los objetivos y posteriormente busques las respuestas correspondientes.

10. *En las preguntas de examen también son útiles las palabras que sirven para dar instrucciones* . Casi todas las preguntas de examen contienen palabras como «argumenta», «describe», «explica», «demuestra», «justifica», «compara», «contrasta», «compara y contrasta», «opina», «distingue entre», «resume», «haz una lista de razones», «escoge», etc.

11. *¿Cuántas preguntas cortas puede tener un banco de preguntas?* Cuantas más, mejor. Un banco de preguntas puede contener cientos de preguntas cortas, incluso miles. Saber responderlas significa que estás capacitado para responder a cualquier pregunta más larga. Piensa que, al fin y al cabo, las preguntas complejas de un examen no dejan de ser una aglomeración de preguntas cortas.

12. *Inspírate en las clases para elaborar preguntas.* Cada vez que en clase tengas la impresión de que se está diciendo algo realmente importante, conviértelo inmediatamente en una pregunta para tu banco de preguntas. Es recomendable que no tardes demasiado en hacerlo, ya que las cosas se nos suelen ir de la cabeza. Por lo tanto, anota la información en clase, directamente en tus apuntes o como pregunta para el banco.

13. *Añade ejemplos trabajados en clases y seminarios.* Los profesores suelen utilizar ejemplos para ilustrar el tipo de preguntas que, llegado el momento, deberás poder contestar en el examen. También suelen adaptar estas mismas preguntas para futuros exámenes, quizá con alguna pequeña variación según la ocasión.

14. *No mezcles las preguntas con las respuestas.* Cuando en tus apuntes tengas ejemplos o problemas con las correspondientes soluciones, añádelos al banco de preguntas. De este modo, podrás volverlos a leer sin tener delante la respuesta, y tendrás que intentar contestarla de nuevo tú solo, sin caer en la tentación de limitarte a leer la respuesta que ya tienes. En este sentido, es recomendable que, junto a la pregunta, anotes dónde se encuentra la respuesta, para poder comprobarla si ves que te cuesta (aunque siempre es mejor que no te rindas y la contestes tú mismo).

15. *Añade cualquier pregunta que te hayan mandado como deberes o trabajo de seguimiento.* De nuevo, no mezcles las preguntas con las respuestas correspondientes: así podrás practicar las respuestas sin hacer trampa; es decir, sin comprobar las respuestas antes de tiempo.

16. *Cuando leas libros, fotocopias, artículos, páginas web, etc., sigue recopilando preguntas.* Si por ejemplo ves que un párrafo contiene información importante, pregúntate: «¿A qué pregunta responde esta información?». Si resulta que se trata de una pregunta relevante cuya respuesta debes saber, anótala y añádela al banco de preguntas.

17. *Repasa los libros de texto y cualquier otro tipo de material para buscar preguntas abiertas o ya contestadas.* En la bibliografía siempre encontrarás ejemplos y también preguntas adicionales con los resultados en el apéndice. Si ves que alguna de estas preguntas está relacionada con el programa de la asignatura, cópiala y añádela a tu banco de preguntas indicando la fuente y la ubicación de la respuesta, si es que la hay.

18. *Inspírate en exámenes anteriores para perfeccionar tu banco de preguntas.* Esto tiene una ventaja: ayudarte a ver qué clase de

pregunta te encontrarás en el examen. Así pues, en función de ello podrás ir pensando en la clase de respuesta más adecuada. Asimismo, es recomendable que sepas distinguir el número de preguntas concisas y directas que pueden esconderse en una pregunta típica de examen.

19. *Empieza a intuir las posibles preguntas de examen.* Siempre va bien que vayas pensando en las posibles preguntas de examen. Podría ser que acertases, lo que te habría permitido practicar una pregunta hasta saber la respuesta con facilidad, rápidamente y sin esfuerzo: ¡vale la pena! Si al final no caen las preguntas que te habías imaginado, piensa que los conocimientos que hayas adquirido practicándolas siempre podrán servirte en el futuro.

20. *Recopila las preguntas de tus compañeros.* Si alguien hace una pregunta interesante en clase, anótala: puede que tarde o temprano tú mismo tengas que contestarla.

21. *Elabora el banco de preguntas con compañeros.* Si elaboras el banco de preguntas con más gente, seguro que será mejor que si lo hubieses hecho solo, ya que quizás a ti nunca se te hubiese ocurrido la aportación de otro compañero.

22. *Por ahora no te preocupes si no puedes* contestar *a todas las preguntas.* Lo principal en esta fase es haberlas recopilado. Una vez hecho esto, cuesta relativamente poco encontrar las respuestas correspondientes: las puedes buscar tú mismo, preguntárselas a un compañero o profesor o incluso llegar a ellas por tu propia cuenta.

37

Utilizar el banco de preguntas

A través de los consejos anteriores hemos visto para qué sirve un banco de preguntas y cómo elaborarlo. A continuación, analizaremos cómo hacer que se convierta en una herramienta de estudio útil y cuáles son los procesos para ponerla en marcha a fin de que llegues a dominar una asignatura.

1. *Es recomendable que sea una herramienta portátil.* Si utilizas un cuaderno pequeño, siempre puedes separar las hojas con etiquetas de índice y destinar cada parte a las preguntas de un tema específico. Para este propósito resultan muy útiles los *post-its.*

2. *Procura numerar las preguntas según el tema.* Esto te permitirá encontrar más fácilmente las preguntas que puedes contestar sin dificultad y las que debes profundizar para poderlas incorporar a tu repertorio.

3. *Prueba primero si te va bien tener preguntas y respuestas en un mismo banco de preguntas.* Si te decides por esta opción, es recomendable que tengas las palabras clave separadas de las preguntas. Es decir, si por ejemplo en una página tienes una lista de dieciseite preguntas cortas, en el dorso podrías anotar las palabras clave también numeradas del 1 al 17. Éstas podrían serte de gran ayuda para empezar a responder a las preguntas, especialmente las que creías haber olvidado. De todos modos, si se trata de una respuesta

corta, es mejor darla directamente como palabra clave, sobre todo si la pregunta es una operación matemática, en cuyo caso se recomienda que la palabra clave sea el resultado.

4. *¿Preferirías trabajar con un banco de preguntas electrónico?* Si tienes acceso a algún programa de software para el diseño de test, podrías elaborar el banco de preguntas en el ordenador. Las palabras clave podrían aparecer en pantalla mediante una tecla programada para esta función. El único problema que comporta este formato es que necesitarás tu ordenador para utilizarlo o cualquier otro ordenador siempre que tengas la información en disquete o CD.

5. *Algunos alumnos prefieren utilizar fichas.* Como alternativa, siempre puedes escribir las preguntas en fichas, como las que quizás hayas utilizado en alguna biblioteca para buscar bibliografía. Escribe la pregunta en un lado de la ficha y, en el dorso, la palabra clave. Si optas por este formato, es recomendable que utilices un fichero con un separador para cada asignatura. Este método te permitirá extraer una ficha al azar e intentar responder a la pregunta.

6. *No te limites a hacerlo, utilízalo.* Al igual que cualquier otra herramienta, un banco de preguntas sólo tiene sentido si se utiliza. Por lo tanto, tu objetivo debería ser seguir practicando, hasta que contestes bien y con fluidez.

7. *Cada vez que veas que no te sabes una pregunta, tómatelo como una buena noticia.* Siempre resulta útil saber que no sabías algo. Por lo menos es mucho mejor que darte cuenta a última hora, cuando ya es demasiado tarde.

8. *Sigue buscando información sobre las preguntas que respondes mal* una y otra vez, ya que son las que requieren más atención. Normalmente se trata de las más complicadas. Si ves que te sigues equivocando, intenta averiguar cuál es la respuesta correcta y, al mismo tiempo, no olvidarla. Las preguntas a las que has dedicado más tiempo suelen ser las más útiles.

9. *No pierdas tiempo con las preguntas que contestes con facilidad.* Aunque saberse las respuestas siempre aporta mucha satisfacción, no se aprende tanto como cuando la pregunta es difícil y

cuesta un poco más responderla, o cuando las respuestas parecen escurridizas.

10. *Al mismo tiempo comprueba que realmente puedes responder a las preguntas que crees dominar.* Quizá pienses que sabes hacer algo sin haberlo hecho todavía. Sin embargo, saber responder a lo que parece una pregunta fácil es algo que no deberías dar por supuesto hasta que no lo hayas demostrado una vez como mínimo.

11. *Entiende el banco de preguntas como un juego.* Si tienes las preguntas en un fichero, puedes extraerlas al azar e ir cambiando de tema. Luego podrás apartar las preguntas que te hayas sabido en otro fichero y deja las que te sigan costando. De este modo podrás volver a ellas y seguir practicando.

38

Estudiar en su justa medida

Cuando tengas exámenes importantes a la vuelta de la esquina es indiscutible que, como estudiante, repasar se convertirá en una de tus actividades más importantes. Son pocas las personas que consiguen sacar buena nota sin antes haber repasado a conciencia. Los siguientes consejos deberían ayudarte a organizar tus prioridades a fin de que siempre te quede tiempo para repasar.

1. *Recuerda lo que está en juego.* Estudiar debidamente implica trabajar mucho, pero es por tu bien. No hay nada peor que terminar sintiendo remordimientos por no haber dedicado más tiempo y energía a estudiar y, como consecuencia, no haber sacado mejores notas, ni haber conseguido un trabajo mejor, ni una casa mejor, un coche mejor, etc. Piensa que estudiando inviertes en tu propio futuro. Al fin y al cabo, por mucho que padres, profesores o amigos no paren de darte la lata para que te esfuerces, estarás estudiando por tu bien, no por el de otros.

2. *Supera aquello de «Ojalá me hubiese espabilado antes...».* Este libro te ofrece consejos para evitar que adoptes estrategias para no ponerte a estudiar. Si has empezado a estudiar con tiempo, es normal que sientas que te sobran estas recomendaciones. Ahora bien, por regla general son pocas las personas que tienen la sensación de haber empezado a tiempo, es decir, mucho antes de que lle-

guen los exámenes. Así pues, ahora no es el momento de arrepentimientos. Lo que todavía tienes por delante es el tiempo entre este preciso momento y los exámenes, y lo más importante es que sepas administrártelo.

3. *No sólo importa la cantidad, sino la calidad.* Como verás a lo largo de los apartados dedicados a estudiar, es mucho lo que puedes hacer para estudiar efectiva y eficientemente. Ve con cuidado si te crees que pasarte horas y horas estudiando equivale a buenos resultados: concéntrate en lograr los objetivos y no sólo en las horas que dedicas al estudio.

4. *Entiende que estudiar es algo más que una simple actividad.* Estudiar debidamente va mucho más allá de repasar lo que ya has estudiado. Son muchos los temas que requieren algo más que un simple «vistazo» si quieres tener la sensación de entenderlos bien.

5. *Estudiar hace que aumente la confianza en uno mismo.* Cuando te sabes algo y eres consciente de ello, aumentas la confianza en ti mismo. Asimismo, cuanto más seguro te sientas, mejor te irá cuando pongas en práctica lo que has estado estudiando si, por ejemplo, tienes que afrontar un examen.

6. *No pierdas tiempo dedicándote a actividades secundarias y empieza a estudiar.* Como ponerse a estudiar es pesado y abrumador, cuesta muy poco dejar que pasen los días, las semanas o incluso los meses sin hacer nada. Seguramente habrás ideado toda una serie de tácticas para posponer el momento, pero te sentirás mucho mejor si las dejas de lado y te pones en marcha. De hecho, puedes empezar ahora mismo.

7. *No se alcanza la perfección sin practicar.* Esto es algo especialmente válido cuando te estás preparando para un examen, ya que, en este caso, lo que realmente tienes que hacer es ir practicando. Esto significa responder a preguntas, resolver problemas e ir haciendo lo mismo que te tocará hacer el día del examen.

8. *Al estudiar se adquiere toda una serie de habilidades transferibles.* Ésta no será la última vez que tengas que trabajar a partir de un material concreto para posteriormente ponerlo en práctica en

un contexto evaluativo (como, por ejemplo, tus respuestas a las preguntas de un examen). Todas las profesiones plantean de vez en cuando situaciones similares, en las que se necesita absorber una determinada cantidad de nuevos conocimientos para luego darlos a conocer de algún modo. Así pues, realmente vale la pena dominar todos los aspectos referentes al hecho de estudiar.

9. *Ve recordando lo que realmente evalúa un examen.* En este sentido, puede irte muy bien repasar la primera parte de este apartado y comprobar de nuevo cuáles son los aspectos que caracterizan un típico examen a contrarreloj. Comprueba especialmente cuáles de estos aspectos son tus puntos débiles, ya sea el tiempo que tardas en escribir, si tienes costumbre de leer las preguntas demasiado rápido, si terminas escogiendo las preguntas que menos te sabes o si te quedas sin tiempo para repasar y corregir lo que has escrito. Hazte, pues, una lista de tus puntos débiles y retenla en la cabeza mientras vayas aplicando los consejos que te he dado. De este modo conseguirás que tus tácticas de estudio estén en conjunción con tus necesidades particulares.

10. *Estudia en función de la modalidad de examen.* Casi todos los consejos de este libro sobre métodos de estudio y exámenes tienen que ver con el tipo de examen más corriente, es decir, con los exámenes cuyas preguntas no se han dado a conocer previamente y que tienen que hacerse en un aula en un tiempo determinado, normalmente a contrarreloj. Sin embargo, no todos los exámenes son así. En algunas ocasiones quizá puedas hacerlos con libros, en otras ya te habrán dicho qué preguntas tendrás que contestar, otros serán de tipo test, etc. Más adelante encontrarás consejos específicos para cada tipo de examen.

39

Programarse un calendario de estudio

Como estudiar es muy importante, vale la pena que te organices en este sentido. De todos modos, no debes dedicar todo tu tiempo a organizarte, ya que podrías quedarte sin energía para estudiar. Los siguientes consejos deberían servirte para encontrar el equilibrio entre elaborar un plan y pasar a la acción.

1. *Diseña un calendario de estudio.* La ventaja de tenerlo todo especificado en una misma hoja (mejor si es grande) es que puedes colgarla en la pared y mirarla de vez en cuando. También te será de gran ayuda señalar los temas y asignaturas ya estudiados para controlar cómo vas progresando.

2. *Sé flexible.* Si te programas un calendario de estudio demasiado rígido, terminarás abandonándolo al poco tiempo. Así pues, es mucho mejor que seas flexible y que introduzcas cambios en caso de que sea necesario. Quizás en más de una ocasión tardes menos de lo que te esperabas en estudiar un tema y puedas pasar a otros aspectos. Igualmente, habrá temas que te costarán más de lo que habías previsto y tendrás que dedicarles más horas.

3. *No te organices para pasarte el día estudiando.* La vida sigue mientras estudias. Esto incluye tener que comer, dormir, relajarse, salir con los amigos y continuar siendo un ser humano. Como máximo, prográmate dos o tres horas diarias de estudio cuando tengas

173

clases, trabajos que redactar, etc. Si no tienes otra actividad programada aparte de estudiar (por ejemplo en las semanas previas a los
exámenes), no te creas que tu cabeza está preparada para estudiar
desde primera hora de la mañana hasta altas horas de la noche, porque estás muy equivocado.

4. *Déjate espacio para el tiempo libre.* Es muy importante tener
libre medio día o un día entero. Estas pausas programadas suelen
disfrutarse mucho, por lo menos mucho más que cuando uno se es-
cabulle de las obligaciones. Asimismo, el tiempo libre es productivo, ya que, por norma general, se estudia mejor cuando se sabe que
falta menos para una pausa.

5. *Haz que tu estudio sea variado.* Es importante que no pro-
grames dedicarte a una sola asignatura durante demasiado tiempo.
Da mejores resultados dedicarle un tiempo específico y luego, por
ejemplo, estudiar otra asignatura durante una hora, para pasar a otra
antes de retomar la primera. En este sentido, ir cambiando es casi
tan necesario como las pausas.

6. *Organízate de tal modo que tengas tiempo de repasarlo todo
más de una vez.* A tu cerebro le costará absorber ciertos temas, que
tendrás que repasar una y otra vez hasta dominarlos. Estudiar algo
tres veces seguidas no es tan efectivo como si lo haces a ratos. Verás que, para que tu subconsciente pueda seguir trabajando, es necesario hacer pausas entre los momentos de estudio.

7. *Por encima de todo, haz que tu programa no resulte sobrehu-
mano.* Tienes que sentirte a gusto con él. Si te has exigido demasiado, no te extrañes si terminas adoptando otros métodos de estudio
o, lo que es peor, optando por tirar la toalla.

8. *Piensa en «hacerlo público».* Si cuelgas el calendario en un
lugar donde otras personas puedan verlo, éstas podrán llamarte la
atención si ven que te estás despistando. Además, que otros vean tu
calendario puede servir para que no te pidan que salgas con ellos,
pues se darán cuenta de que ciertas horas las tienes ocupadas. De
este modo te estarán ayudando a que te mantengas fiel al calendario que te hayas programado. Ahora bien, si te conviertes en objeto

de burlas por ser tan consciente y organizado, es mejor que no compartas tu calendario.

9. *Piénsatelo dos veces antes de ponerte a repasarlo absolutamente todo.* Quizá no tengas tiempo de estudiar todo lo que incluye el temario de la asignatura o, por lo menos, no de estudiarlo como deberías. Si sabes que te van a permitir escoger entre varias preguntas, mejor que lo lleves casi todo bien estudiado, en vez de habértelo estudiado todo por encima. No olvides que sólo sacarás nota en las preguntas que contestes de verdad, es decir, no te puntuarán todas esas cosas maravillosas que sabes pero que no habías previsto como posibles preguntas de examen.

10. *Ve alternando los métodos de estudio así como los temas.* Terminarás cansándote si dedicas demasiado tiempo a hacer lo mismo, y esto es algo que reduce la eficiencia. En este sentido, tienes varias opciones para estudiar productivamente y, cuantas más pongas en práctica en un mismo día, más harás a favor de tu aprendizaje, mejor será tu método de estudio, mayor será la confianza que tendrás en ti mismo y mejor te irán los exámenes. Se trata, pues, de una espiral hacia arriba.

40

Ponerse a estudiar

¿Verdad que te acuerdas de las estrategias que nos inventamos las personas para esquivar el trabajo? Casi todos somos expertos en buscar excusas para retrasar el estudio. Quizá tú también lo hayas hecho, y puede que hasta a menudo. Ahora es el momento de abandonar este tipo de estrategias. La siguiente lista incluye algunas de las razones que empleamos con más frecuencia para posponer las obligaciones. Ahora bien, como tú mismo comprobarás, en realidad no se trata de razones, sino de excusas. ¿De cuáles de ellas te sirves tú también?

1. *«Todavía no me puedo poner a estudiar: aún no tengo el material suficiente.»* Sí que lo tienes. Aunque haga poco tiempo que estés haciendo un módulo o una asignatura, ya tienes suficiente material para empezar a elaborar un banco de preguntas. Además, si te haces resúmenes de las dos o tres últimas clases, ya estarás estudiando. Hacer estas cosas, por muy insignificantes que parezcan, ya es estar invirtiendo en éxitos.

2. *«Ahora tengo muchos trabajos; ya me pondré a estudiar cuando tenga menos presión.»* Lo siento, pero se trata de otra excusa. Si tú quieres, los trabajos que te manden pueden llegar a requerir dedicación absoluta. No empezar a estudiar utilizando esta excusa puede que haga que te sientas bien, pero no deja de ser una falsa impresión. Incluso en los casos en los que un trabajo valga el 50 % de la nota final, el resto de la nota depende del examen, lo que significa tener que estudiar. Te sugiero que estudies un poquito antes de ponerte a hacer un trabajo. Existe la posibilidad de que saques menos nota en el trabajo, pero no dejarás de estar invirtiendo en buena nota para el examen, y lo estarás haciendo de un modo diligente, eficiente y bien encaminado. Al mismo tiempo, aumentará la confianza en ti mismo, lo que repercutirá positivamente en la nota del examen.

3. *«Si me lo aprendo ahora, luego se me olvidará.»* Algo de verdad hay en esto, pero de hecho es útil aprender cosas y luego olvidarlas porque te ayuda a ver exactamente qué es lo que probablemente volverás a olvidar en una ocasión futura. También es cierto que cuando se aprende algo pero luego se olvida, la próxima vez te cuesta mucho menos aprenderlo y así sucesivamente. Esto significa que cada vez necesitarás menos tiempo para recordar lo que hayas olvidado.

4. *«Todavía estoy recopilando material: esperaré hasta que lleguemos al final del temario.»* De nuevo otra excusa, porque quizá te den material hasta el día antes del examen. Si esperases a tener todo el material para ponerte a estudiar, no te quedaría tiempo para hacerlo. Por eso debes empezar a estudiar con lo que ya tienes.

5. «*Si nadie parece haber empezado a estudiar, ¿por qué tengo que ser yo el primero?*» ¿Es que quizá te da vergüenza que te vean estudiando pronto? Quizá los otros ya han empezado y no se lo han dicho a nadie. Sea como sea, no te clasificarán en función de lo que los demás estudien, sino únicamente de lo que estudies tú. Si te fijas una fecha para empezar a estudiar, te estarás dando una oportunidad para adelantarte a tus compañeros. En este sentido, no tienes por qué irlo diciendo, si crees que esto puede perjudicar tu reputación.

6. «*Sé que debería ponerme a estudiar inmediatamente, pero no sé por dónde empezar.*» Aunque ésta es una excusa sincera, si es una de las que tú utilizas, piensa que te estás perjudicando: gastarás energía mental al intentar justificar que todavía no puedes empezar, energía que hubieses podido utilizar para ponerte manos a la obra y sentirte mucho más satisfecho. Al fin y al cabo se trata de una decisión que debes tomar tú, porque sólo tú sabes lo que es adecuado.

7. «*Necesito vivir: ahora no puedo pasarme el día estudiando.*» No cabe duda de que esto es verdad. Sin embargo, una buena estrategia de estudio parte de la base de que las personas necesitamos tiempo para descansar. Cuanto antes empieces a estudiar, menos alterada se verá tu vida a causa del estudio. Es mejor que estudiar se convierta en una pequeña parte, aunque importante, de tu vida diaria que dejarlo para el final y tener que dedicarle días enteros, solución que de hecho no funciona. Si lo dejas todo para más tarde, tú mismo estarás generando un período de tiempo que no dará cabida a la vida normal.

8. «*Me voy a poner nervioso si encuentro algo que no entiendo.*» Esto no es ningún motivo para no ponerse a estudiar, sino otra excusa. Precisamente uno de los objetivos de empezar a estudiar con tiempo es que, si te encuentras en la situación de no entender algo, tienes tiempo para remediarlo. Cuanto antes te des cuenta de que un tema presenta dificultades, mejor. Además, la ansiedad de encontramos ante algo que no entendimos en realidad no es tan estresante como esa especie de temor que sentimos cuando imaginamos que algo puede ser difícil.

9. «*Siempre me ha ido bien dejándolo para última hora.*» Quizá sea verdad, pero también puede que esta vez las cosas vayan de otra manera, ya que ahora tendrás que estudiar mucho más porque las asignaturas son mucho más difíciles y complejas y los exámenes más importantes. El listón ha subido. Todos estos aspectos presentan incertidumbres, por lo que empezar a estudiar pronto es el mejor seguro contra cualquier riesgo.

10. *¿Todavía te queda alguna excusa?* Como has visto a lo largo de este apartado, casi todos los motivos para retrasar el estudio no son más que excusas. Así pues, lo mejor que puedes hacer es ponerte en marcha. No tienes por qué pasarte el día estudiando: cinco minutos haciendo un resumen o diez minutos redactando unas cuantas preguntas para empezar a practicar ya es un buen comienzo. Una vez que ya hayas empezado, lo que no debes hacer es pararte, puesto que lo mejor es estudiar cada día entre semana aunque sólo sea un poquito. Puede que al final este hábito te produzca tal satisfacción que termines encontrando incluso algún hueco para estudiar durante el fin de semana. No cabe duda de que vale la pena, aunque sólo sea por lo satisfecho que te quedas.

41
Técnicas de estudio

¿Qué es lo que va mejor? Como ya hemos visto, una estrategia de estudio productiva incluye varias técnicas, mediante las cuales se aprende más que con otras. Los siguientes consejos se centran en lo que debes y no debes hacer, pero por encima de todo:

1. *Antes de pasar a cualquier otra actividad, estudia un poco,* aunque sólo sean unos pocos minutos. Esto va muy bien sobre todo durante los primeros días o semanas. Ahora bien, si dedicas un poco más de tiempo a estudiar, al poco tiempo ya habrás conseguido mucho.

2. *Mantén tu barómetro de aprendizaje bien alto.* Uno de los factores más importantes cuando se está estudiando es ver si el sistema que se está utilizando funciona. Si ves que lo único que haces es estar sentado pasando páginas y con la cabeza en las nubes, estarías mejor haciendo otra cosa o durmiendo. Piensa cuáles son las técnicas de estudio que mejor te van y hasta qué punto te acuerdas de las cosas que has aprendido mediante estos métodos. Los siguientes consejos abarcan algunas técnicas que quizá ya conozcas y otras que puede que todavía no hayas puesto en práctica.

3. *Repasa a ratos, no de un tirón.* El problema de hacer las cosas de un tirón es que llegan a agotar y hacen que no te apetezca ponerte a estudiar. En cambio, un ratito no cansa y te deja tiempo para otras actividades. Además, siempre hay tiempo para otro rato.

4. *No te limites a leerte un tema una y otra vez.* Sólo leer no lleva demasiado lejos. Otro peligro que corres si te limitas a leer es que puedes tardar mucho tiempo en hacerlo y que cuando ya vayas por la décima vez lo sigas haciendo al mismo ritmo que la primera. Ve con cuidado, ya que no es que dispongas de todo el tiempo del mundo para pasarte el día leyendo.

5. *Nunca leas sin bolígrafo.* Si vas tomando apuntes a medida que lees estarás manteniendo tu cerebro mucho más activo que si te limitas a leer. Lo ideal es que, mientras estudies, vayas tomando nota de los puntos más interesantes para tu banco de preguntas. Así, cuando ya lo hayas leído todo, también tendrás resúmenes y preguntas y habrás aprendido más que si sólo hubieses leído.

6. *No te hagas resúmenes demasiado largos.* Como parte de las estrategias de estudio, va muy bien redactar respuestas completas, aunque esta actividad no debería ser el eje de tu estrategia por motivos de tiempo. La ventaja de redactar algo de vez en cuando es que te ayuda a controlar el ritmo y darte cuenta de lo que puedes hacer en un examen. Ahora bien, en la hora que puedes tardar en redactar una respuesta completa, también podrías elaborar media docena de esquemas. Prepararte un esquema para después redactar el tema puede ahorrarte alrededor del 90 % de las cosas que pondrías en una respuesta. Por este motivo, hacerse esquemas puede resultar más eficaz, por lo que a tiempo se refiere, que ponerse a redactar.

7. *Practica contestando preguntas de exámenes anteriores.* Ésta es una de las mejores maneras de prepararte para un exámen. Puedes responder a las preguntas sin consultar los libros o apuntes, o concederte el privilegio de hacerlo si lo consideras oportuno, pero siempre controlando el tiempo que tardas.

8. *Si sabes cómo van a puntuarte, ve poniéndote nota.* Cuando los profesores preparan un examen, suelen crear un criterio de puntuación para que les resulte más fácil (y sea más justo) poner nota. Si haces ejercicios de autoaprendizaje o trabajos con otros compañeros, tú también deberás aplicar algún criterio de puntuación. Si

uno de tus métodos de estudio es practicar con exámenes anteriores, te irá muy bien aplicar (o crear) un criterio de puntuación.

9. *Practica respondiendo a preguntas breves y claras.* Es decir, utiliza el banco de preguntas como herramienta de aprendizaje. Comprueba cuáles son las preguntas que puedes contestar sin dificultad y las que, para poder contestarlas, tienes que consultar. En este último caso, no tienes por qué preocuparte: todavía estás a tiempo de remediarlo y de poder dar la respuesta correcta cuando llegue el día del examen.

10. *De vez en cuando,* responde en voz alta *a estas preguntas cortas y claras.* Aunque esto cuesta menos que redactarlas, requiere el mismo esfuerzo mental. Expresar verbalmente una explicación te puede ayudar a recordar algo durante más tiempo que si simplemente lo hubieses escrito.

11. *Ve haciendo resúmenes.* Los resúmenes son una técnica que suele proporcionar resultados de aprendizaje muy altos. Cuando te pones a resumir algo, estás haciendo un esfuerzo mental considerable, ya que, entre otras cosas, estás decidiendo qué incluir y qué omitir. Además, cuando ya lo tienes hecho, el resultado es evidente, ya que siempre te queda el resumen. Se trata, pues, de otra herramienta de aprendizaje muy útil.

12. *Hazte resúmenes de los resúmenes.* Reducir la información es una práctica que ayuda a agilizar la memoria y que a su vez convierte los resúmenes en una actividad más llevadera y menos agobiante. Es aconsejable que vayas repasando los resúmenes que hayas hecho y que los vuelvas a resumir para regenerar el marco más amplio del cual los condensaste.

13. *Estudia con algún amigo, o con varios.* Existen técnicas de estudio ideales para ponerlas en práctica en grupo, con otras personas que se estén preparando para los mismos exámenes. Una de estas técnicas sería hacer un concurso con el material del banco de preguntas. Con esto, estudiar no sólo se convertiría en una actividad más excitante, sino también más divertida. Además, cuando alguien nos hace una pregunta, el esfuerzo mental para contestarla es mayor

que si nos la hacemos nosotros mismos, y lo más importante de todo es que esa otra persona juzgará tu respuesta, por lo que el esfuerzo para contestarla bien también será mucho mayor.

14. *Ve repasando igualmente los puntos que tengas claros.* Resulta alentador ir recordando todo lo que ya sabes y cómo puedes aplicar estos conocimientos cuando te lo pidan. Asimismo, repasar lo que ya sabes es un seguro contra la pérdida de algo que posees.

15. *Ve repasando los puntos que más te han costado, aunque al final hayas terminado entendiéndolos,* ya que eso es lo que más posibilidades tienes de volver a olvidar. Cada vez te costará menos volver a ello y, cuando ya lleves unas cuantas veces, seguro que te volverá a la cabeza inmediatamente.

16. *Estudia donde sea.* Ten siempre a mano algo para poder repasar. Eso sí: ¡no vayas con todo encima! Con una parte del banco de preguntas o un par de resúmenes bastará. Dondequiera que estés aprovecha el tiempo para estudiar, aunque sólo sea una pequeña parte de lo que te entra en el temario.

17. *Aprovecha cualquier momento, por corto que sea, siempre que puedas.* No esperes hasta tener tres horas enteras para ponerte a estudiar, ya que estos espacios de tiempo tan largos no son frecuentes. Los pequeños ratos son mucho más efectivos que condensar el estudio en más horas, ya que cada vez que te pones a estudiar estás mucho más receptivo. Cuando estudias durante muchas horas seguidas, al final acabas sumido en un estado de improductividad y aburrimiento, algo que quizá ya has experimentado en otras ocasiones.

18. *Haz una pausa cuando llegues a los puntos importantes.* Quizá te parezca un mal consejo, pero ten en cuenta lo siguiente: si tuvieses que continuar hasta llegar a un punto lógico para detenerte, las probabilidades de olvidarte de todo serían más altas que si sencillamente te paras de repente en un punto importante. Tras la pausa, verás que todavía tendrás frescas las reflexiones que habías hecho previamente y que no te cuesta nada volver a retomarlas.

42

Últimos consejos para el repaso final

A estas alturas ya tendrás muy claro que mi recomendación por lo que se refiere a estudiar a última hora es que no lo hagas. Sin embargo, resulta bastante difícil no estudiar durante las horas previas al examen. Así pues, los siguientes consejos se centran en saber tomar decisiones inteligentes sobre estudiar a última hora y, si finalmente decides que vas a estudiar, cuál es la mejor manera de hacerlo.

1. *No te pongas a estudiar* en serio *a estas alturas*. Ahora ya deberías tenerlo estudiado casi todo. Y si todavía te queda mucho material por estudiar, es muy poco probable que saques algún provecho.

2. *No te agobies estudiando*. La nota que saques dependerá de lo que hayas puesto en el examen. Si has estudiado mucho justo antes del examen, es probable que sepas más, pero también que no estés a la altura porque estarás agotado. Así pues, te aconsejo que reserves la energía para el examen.

3. *No pretendas aprender nada nuevo*. Si ves que no te puedes concentrar y que todavía hay cosas que no endientes, es mejor que te centres en lo que ya sabes. El problema que tiene aprender algo nuevo es que no es fácil y que puede llegar a frustrar. En este sentido, quizás hasta llegues a preguntarte qué es lo que todavía no te sabes, lo que no es muy positivo para la moral.

4. *No te dediques a lo más difícil,* puesto que también puede llegar a frustrarte. Si te das cuenta de que has olvidado algún aspecto importante, es probable que empieces a preguntarte si también te has olvidado de otros aspectos y, como en el caso anterior, eso no te subirá la moral.

5. *Haz un repaso por encima.* Repasa lo que te sepas bien: utiliza el banco de preguntas para ver lo bien que te sabes las respuestas. Procura hacerte esquemas o resúmenes para volver a activar tranquilamente los temas en tu cabeza.

6. *No acudas a los apuntes de clase, libros de texto u otras fuentes similares.* Para el repaso final lo más adecuado es concentrarse en los resúmenes que hayas podido hacer mientras estudiabas. Volver a las fuentes originales antes de un examen, con toda la adrenalina desatada, te hará centrarte en aspectos que anteriormente habías ignorado. Llegarte a preguntar de cuántas cosas no te has dado cuenta antes también influirá negativamente en tu moral.

7. *Haz una lista con los temas que crees dominar.* Esto te ayudará a elegir mejor en el caso de que puedas escoger las preguntas. Asimismo, ver lo que dominas es positivo para aumentar tu nivel de confianza.

8. *No estés demasiado tiempo haciendo una sola cosa.* A estas alturas es aconsejable que no le dediques demasiado tiempo a una sola cosa y que hagas un poquito de todo.

Séptima parte

Exámenes: antes, mientras y después

43
Antes de un examen

Los siguientes consejos se centran en toda una gama de aspectos que vale la pena tener en cuenta antes de hacer un examen, cuando entres en el aula donde vayas a examinarte y cuando tomes asiento. Como los consejos del apartado anterior, los que vienen a continuación son de sentido común, aunque a menudo los olvidamos cuando estamos tensos o nerviosos y los que están a nuestro alrededor también lo están. Ahora tienes la oportunidad de reflexionar sobre lo que harás la próxima vez antes de un examen.

1. *Mira con calma el calendario de exámenes.* Algunas universidades cuelgan los calendarios de exámenes en tablones de anuncios, indicando dónde y cuándo tendrán lugar las convocatorias. Por norma general, se suele elaborar un primer calendario a modo de borrador y luego el definitivo. Esto se debe a que normalmente hay cambios de fecha y lugar a causa de módulos que se solapan o aulas que no son lo suficientemente grandes, entre otras cosas. Así que asegúrate de comprobar cuál es el calendario definitivo si no quieres quedarte en casa durmiendo mientras están poniendo el examen que deberías estar haciendo. Aunque esto siempre le pasa a alguien, procura que no seas tú.

2. *Infórmate del aula donde se va a hacer el examen.* Algunas veces ya lo sabrás, porque es la misma donde te dan las clases nor-

malmente, la sala de actos, el gimnasio, etc. Pero el examen también podría celebrarse en otro lugar que no conozcas. Si es así, averígualo antes del día del examen, para que no seas el único que cuando llegue el día no lo encuentre y al final llegues allí diez minutos tarde sudado y nervioso.

3. *Comprueba la hora y el aula con tus compañeros.* Habla con compañeros que vayan a hacer el mismo examen y comprueba con ellos la hora y el aula. De esta manera os aseguráis entre todos de que no os habéis equivocado al leer la información del tablón de anuncios.

4. *Prepárate el material con tiempo.* El día antes, reúne todo el material que vayas a necesitar: bolígrafos (por lo menos uno de recambio), lápices, rotuladores, calculadora (con una pila que funcione), pañuelos de papel, quizás un rotulador fluorescente, líquido corrector y cualquier otra cosa que pienses que vayas a necesitar. Ponlo todo en un mismo sobre o separador de plástico, en un lugar visible, para que al día siguiente lo tengas todo listo y puedas marcharte directamente a hacer el examen.

5. *Procura evitar situaciones de estrés.* Ahora tienes más adrenalina de lo normal y no es el momento adecuado para pelearte con tu pareja, ni con tus compañeros de piso o vecinos. No discutas por nada con nadie ni te enfades. No dejes que nada ni nadie te haga daño. Ignora y aléjate de cualquier problema.

6. *Ponte el despertador.* Si tienes el examen a primera hora de la mañana y tienes miedo de dormirte, asegúrate de que no ocurra. Eso sí: no te pases toda la noche en vilo por miedo a dormirte. Ponte varios despertadores, prográmate el móvil, pídele a un amigo que llame a tu puerta, a otro que te llame por teléfono, etc. Con estas medidas dormirás mucho más tranquilo.

7. *Descansa* o, mejor todavía, duerme. Dormir es una de las mejores cosas que puedes hacer la noche antes de un examen importante, ya que el cerebro recupera energía que necesitarás al día siguiente. Es mucho más beneficioso dormir la noche antes del examen que estar despierto estudiando. Aun así, puede que no lo-

gres conciliar el sueño. En este caso, lo que debes hacer es no preocuparte y sencillamente procurar descansar. Ponte un poco de música (siempre respetando el descanso de los demás) y piensa en algo que no sea el examen del día siguiente. Si piensas en algo aburrido te será más fácil conciliar el sueño. Lo que no debes hacer es estar despierto pensando en que no consigues pegar ojo.

8. *Procura llegar pronto al examen.* Si vives lejos, coge el tren o el autobús anterior al que sueles coger normalmente. Si vas en coche, intenta salir antes para poder buscar una alternativa si resulta que no arranca, que te cuesta aparcar o que te metes en un atasco. Llegar tarde a un examen y pensar que no te dejarán entrar o que pasarás mucha vergüenza provoca la pérdida de mucha energía mental, energía que necesitas para el examen. No te pasará absolutamente nada si llegas una hora antes, siempre que la sepas aprovechar.

9. *Sé consciente de lo que comporta llegar tarde a un examen.* Está claro que si llegas tarde tendrás menos posibilidades de sacar mejor nota y no harás el examen tan bien como si hubieses llegado puntual. También puede que ni siquiera te dejen entrar, ya que muchos centros mantienen la política de no permitir la entrada a un examen una vez transcurrida media hora. Esta política suele ir acompañada de otra norma: la de no dejar que ningún candidato abandone el aula antes de esta primera media hora. De este modo se evita que entre alguien para ver cuáles son las preguntas y luego se marche para pasarle la información a los que ya tenían previsto llegar tarde.

10. *Mantente lejos de cualquier persona que vaya a hacer el mismo examen que tú.* ¿Verdad que te viene a la mente ese grupo de estudiantes fuera del aula antes de un examen? Imagínate las conversaciones: «¿Te sabes algo del teorema de Sprocket?», «¿Entiendes los apuntes del profesor Jinks?», «¿Crees que caerá algo sobre el principio de Bogey?», y así sucesivamente. Cada vez que oigas algo que no sabes, se te agudizará el oído y poco a poco llegarás a la conclusión de que tus compañeros se lo saben todo y que, como éste no es tu caso, igual es mejor tirar la toalla. Lo que debes hacer en estos casos es alejarte de estos grupos.

11. *Busca un rincón donde esperar tranquilamente.* Ve, por ejemplo, a buscar un café a la máquina de otro edificio y así te alejarás de estas charlas de preexamen. Claro que allí también podrás encontrarte a otros estudiantes haciéndose preguntas del tipo: «¿Sabes derivar la ecuación de Clausius-Clapeyron?», pero en este caso no te preocuparás porque no están hablando de tu examen.

12. *Comprueba que no llevas nada sospechoso encima.* Llevar chuletas en un examen puede tener consecuencias muy serias, así que no te arriesgues haciéndote una sobre termodinámica que luego se te pueda caer al suelo en medio del examen al sacar un pañuelo para estornudar. Cuando vayas a un examen ni siquiera te apuntes un número de teléfono en la mano.

13. *Ve antes al servicio.* A casi todo el mundo le entran ganas de ir al lavabo antes de entrar en el aula, ya que la naturaleza humana está capacitada para recordarnos cosas así en estados de ansiedad.

Así que vale la pena evitar cualquier situación posterior de malestar, especialmente si se trata de un examen largo. Son pocas las personas que consiguen hacer las cosas bien cuando tienen ganas de ir al servicio y, claro está, no es fácil poder ir en medio del examen ya que alguien debería comprobar que no llevas encima apuntes.

14. *Mantén una actitud positiva.* Hasta que no puedas abandonar el aula de examen, deja que tu mente piense en lo que puedes hacer, no en lo que no puedes hacer. Sólo te puntuarán por lo que sabes hacer.

15. *Deja que corra el oxígeno por la sangre.* No te estoy diciendo que vayas al gimnasio antes del examen, pero sí que salgas fuera (si hace buen tiempo), te pasees y respires. Entra en el aula cuando abran las puertas y búscate un buen asiento.

44

Los primeros minutos

Ya estás sentado en tu pupitre en el aula de examen. Quizás el pulso te va más rápido de lo normal, te sudan las manos y respiras más rápido y entrecortadamente. Quizá te sientes como un conejo asustado, pero no cabe duda de que eres más listo que ese animal. También puede que estés tan tranquilo como siempre y que lo tengas todo bajo control. Sea como sea, los minutos antes de un examen son importantes y tú puedes hacer mucho para que el resultado sea positivo.

1. *Acomódate.* Las aulas de examen no suelen caracterizarse por la comodidad, pero procura que esto no te influya. Ajústate la silla y deja que los pies reposen del modo que te parezca más cómodo. Deja en otro sitio lo que tengas sobre el pupitre o mesa hasta que veas que el brazo y la mano te quedan en una postura natural. Procura tener relajadas la nuca y la espalda y respira hondo y lentamente unas cuantas veces para que te circule el oxígeno por la sangre. Es lo mismo que el calentamiento que hacemos antes de una actividad deportiva, aunque ahora se trata de preparar el cerebro.

2. *Comprueba que estás ante la hoja de examen correcta.* Con sólo un vistazo ya lo verás. En las aulas grandes a veces se hace más de un examen, por lo que puede que los exámenes se repartan mal o que tú te equivoques de asiento. A fin de evitar equívocos, lo mejor es comprobar los datos inmediatamente, ya que no tendría ninguna gra-

cia pasarte la primera media hora haciendo el examen de otra persona, por muy bien que te sepas las preguntas.

3. *No empieces a escribir hasta que te lo digan.* Muchas veces un examen no empieza hasta que todo el mundo está sentado y se escucha un «Ya pueden empezar». Puede que en otras ocasiones se trate de llegar al aula y ponerse manos a la obra directamente. Es recomendable que alces la vista y observes lo que hacen los demás. Eso sí: mira, pero no lo hagas fijamente, ya que alguien puede pensar que estás intentando comunicarte con algún compañero. Cuando ya puedas empezar, procede como se indica a continuación.

4. *Empieza por los datos administrativos.* A pesar de que cada centro tiene su sistema, lo más seguro es que en la hoja de examen tengas que indicar tu número de estudiante, la fecha, la asignatura y tu nombre para que sepan quién eres. Asimismo, puede darse el caso de que tengas que escribir el nombre en una hoja aparte que se recoja durante los primeros minutos del examen. Estos requisitos administrativos también te servirán para que te vayas relajando. Por muy nervioso que estés, es imposible que te olvides de tu nombre. En cuanto a la fecha, en el caso que se deba indicar, quizás ésta ya figure en el folio de examen. Puedes tener la sensación de que tardas una eternidad en escribir esta información, pero en realidad no dura más de medio minuto.

5. *No ves la hora de leer las preguntas, pero no lo hagas todavía.* Ante todo, léete las instrucciones, es decir, la parte que indica el número de preguntas que debes responder, la extensión del examen, si puedes escoger las preguntas o si, por ejemplo, debes hacer una del primer apartado y dos del segundo. Comprueba si todas las preguntas valen lo mismo o si hay preguntas obligatorias; son muchos los estudiantes que pierden puntos importantes por no haberse leído adecuadamente las instrucciones y por responder a dos preguntas del primer apartado, cuando sólo la primera (que, según la ley de Sod, no suele ser correcta) servía para sumar nota, y así sucesivamente. Leerse las instrucciones sólo lleva alrededor de medio minuto y es increíblemente importante.

6. *Teniendo en cuenta las instrucciones, distribuye aproxima-damente el tiempo que tengas para el examen.* Esto dependerá de si puedes elegir las preguntas, si hay preguntas obligatorias, si todas valen lo mismo y si tienes que seguir un orden a la hora de responder. Sin embargo, supongamos que el examen empieza, por ejemplo, a las 9.30, que dura hasta las 12.30, que todas las preguntas valen lo mismo y que tienes que escoger cinco preguntas entre ocho. Teniendo esto en cuenta, podrías distribuirte el tiempo del siguiente modo:

9.30: Empezar a hacer el examen, poniendo especial atención en las preguntas.
9.40: Responder a la primera pregunta (una que me guste mucho).
10.10: Responder a la segunda pregunta (otra que me guste).
10.40: Responder a la tercera pregunta (una de la que sé como mínimo unas cuantas cosas).
11.10: Cuarta pregunta (una con la que puedo obtener algún punto).
11.40: Última pregunta (lo que haya quedado).
12.10: Revisar y corregir para subir nota.
12.30: Fin del examen.

Lo que siempre debes hacer es anotar a qué hora tienes previsto empezar a contestar una pregunta. Esto es algo que puedes haberte programado con anterioridad si previamente conoces la estructura del examen. Aun así, debes ir con cuidado, ya que los formatos de los exámenes suelen cambiar; por eso es tan importante haberse leído debidamente las instrucciones antes de fijarse un horario.

7. *Por lo que se refiere al tiempo para cada pregunta, ten en cuenta los puntos.* Si, como en el caso que acabamos de ver, todas las preguntas valen los mismos puntos, es importante no dedicar demasiado tiempo a la primera pregunta, porque quizá luego no puedas responder la última. En el caso de que cinco preguntas equivalgan a diez y tú sólo hayas respondido a cuatro, la máxima nota que podrás obtener será un ocho. Si sólo has respondido a tres por

haber dedicado demasiado tiempo a las dos primeras, pongamos que como mucho podrás sacar un seis, y de hecho todas las preguntas tendrían que estar muy bien para poder aprobar. Si sólo has respondido a dos, lo tienes todo perdido.

8. *Resérvate unos minutos para revisar las respuestas.* En el ejemplo del punto 6 sugiero veinte minutos para cada pregunta en el caso de que el examen dure tres horas. Si pudieras dedicarles todavía más tiempo sería mucho mejor, pero también es posible que no puedas extenderte demasiado en la pregunta que has dejado para el final precisamente porque es la que menos dominas. En este caso, lo mejor que puedes hacer es ponerte inmediatamente a revisar y corregir.

9. *No hagas caso si tienes la impresión de que otros compañeros ya llevan escritas más de diez páginas.* Todavía estamos en los diez primeros minutos y no has acabado de leer bien las preguntas. Sin embargo, sí que habrás estado invirtiendo el tiempo de manera inteligente leyéndote las instrucciones y programándote el examen, por lo que ya te estás asegurando unos puntos que quizás otros no acaben sacando por haberse precipitado a contestar la primera pregunta sin meditar, dándose así un buen batacazo.

10. *Ahora vuelve a leer las preguntas.* Seguro que ya estás mucho más tranquilo: has actuado inteligentemente al programarte el examen. En el caso de que puedas escoger las preguntas, ahora es el momento de tomar una decisión. Si las preguntas son obligatorias, lo mejor es ponerse manos a la obra.

11. *Si puedes escoger entre varias preguntas, hazlo con cuidado.* El único modo de hacerlo bien es leyéndote debidamente todas las preguntas. Deberás hacerlo poco a poco y con serenidad. Analiza el sentido de cada pregunta y utiliza un rotulador fluorescente para señalar palabras como «argumenta», «explica» o «haz una lista de motivos por los que...», etc., así verás mejor qué es lo que se te está pidiendo. Cuando te encuentres en esta fase, ve tomando decisiones preliminares para cada pregunta e indícalo mediante señales. Es decir:

✓ ✓ Sí, creo que puedo hacer bien esta pregunta.

✓ Puedo sacar algún punto con esta pregunta.

✗ No voy a responder esta pregunta a no ser que no me quede más remedio.

12. *Si tienes miedo de olvidarte de algo importante, anótalo en un margen.* Mientras vayas leyendo las preguntas, seguramente te irán viniendo ideas que querrás reflejar en las respuestas. En este sentido, vale la pena que dediques cinco minutos a anotar las palabras clave, ecuaciones, cifras o parte de la información que luego te sirva para recordar la idea. Si haces esto, quizá tengas que redistribuir el tiempo para compensar los minutos que ahora has dedicado a organizar esta información.

13. *Empieza respondiendo a una buena pregunta.* Esto significa que siempre es mejor empezar con algo que dominas y que sabes que te proporcionará puntos. Pero de todos modos debes tener cuidado y no olvidarte del tiempo del que dispones. En estos casos existe el peligro de dedicarle demasiado tiempo a la pregunta que se sabe. Vuelve a leer bien la pregunta y piensa qué es lo que realmente debes incluir en la respuesta y si luego te sobra tiempo entonces ya añadirás otros detalles.

45

Responder a preguntas para sacar nota

Al fin y al cabo, de esto se trata cuando hacemos un examen. El objetivo principal siempre es sacar cuanta más nota mejor, y que cuanto menos te descuenten mejor. Si entiendes todo esto como si fuese un juego, vas por el buen camino. Si incluso te lo pasas bien, seguramente eres de las pocas personas a quien les gusta hacer exámenes. Si en cambio no te gusta el juego, éste es el momento de aprender más acerca de sus normas; así jugarás bien cuando te toque. Para empezar vamos a analizar algunos aspectos generales, seguidos de unos consejos específicos para modalidades de examen concretas (redacciones y cálculos).

1. *Cíñete al horario, siempre dentro de unos márgenes razonables.* Es importante no dedicar más tiempo del necesario a las dos preguntas que hayas decidido responder primero. Seguramente te gustaría decir más de lo que en realidad te están pidiendo, pero tienes que pensar que sólo dispones de un tiempo limitado.

2. *Asegúrate los puntos que sabes que puedes sacar.* Casi todo el mundo prefiere empezar por las preguntas fáciles y dejar las más complicadas para luego. Sin embargo, que sean «fáciles» o «complicadas» dependerá de lo preparado que estés para contestarlas. Si ves que hay dos preguntas que te sabes muy bien y que al mismo tiempo te pueden asegurar el aprobado, eso te permitirá ir un poco más relajado cuando tengas que responder a las que más te cuesten.

3. *Utiliza bien cualquier oportunidad que tengas de adelantarte al temario.* Si una de las primeras preguntas es, por poner un ejemplo, un problema o una operación que a ti se te da bien, puede que la hagas perfecta (y que saques todos los puntos posibles) en menos tiempo del que habías previsto. Pues bien, aunque sea así, no pierdas el ritmo, ya que igual la siguiente pregunta sí presenta dificultades y te lleva más tiempo del que te habías ahorrado con la primera pregunta.

4. *A medida que vayas contestando las preguntas, ve releyéndolas.* Asegúrate de que siempre te ciñes a lo que te están preguntando. Piensa que la nota máxima que puedes sacar tiene que ver con lo que pide la pregunta y que añadir información no te dará necesariamente más nota. Si no tienes en cuenta qué es lo que te están preguntando, es muy fácil irse por la tangente y perder el tiempo aportando información que, por muy correcta que sea, no te servirá de nada.

5. *Si no sabes dar respuesta a parte de una pregunta, sigue con las otras partes.* Si resulta que lo que no te sabes es la primera parte, deja un espacio en blanco y vuelve a ello más tarde. Es recomendable que empieces por lo que sabes, es decir, que vayas asegurándote puntos desde el primer momento.

6. *Si te bloqueas, no te fuerces.* Si por ejemplo te piden algo importante que se te ha ido de la cabeza (la fórmula de una operación, un nombre importante o parte de una información), procura no forzar el cerebro ya que éste puede rebelarse ante tu crueldad y desconectar, y entonces correrás el riesgo de quedarte en blanco. Casi siempre que nos quedamos en blanco es por haber forzado demasiado el cerebro. Si ves que te vas poniendo cada vez más tenso, es el momento de hacer algo de lo que sí te acuerdes. En casos así, olvídate del tiempo disponible y pasa a una pregunta que puedas contestar directamente. Piensa que, por regla general, nos volvemos a acordar de algo al hacer otra cosa. Ya volverás a la pregunta que has dejado.

7. *No te olvides de respirar.* Durante un examen también debes darte un minuto de pausa de vez en cuando para que de este modo

descanse tu cerebro. Deja que tus ideas tomen forma y que el cerebro pueda pensar. Si no paras de escribir y no te concedes un minuto para pensar, seguramente lo que estés poniendo no estará demasiado bien.

8. *Pónselo fácil al profesor.* Los profesores que corrigen suelen tener mucho trabajo leyendo exámenes y poniéndoles nota. Asimismo, tienen que cumplir un plazo de entrega antes de que el centro cierre las actas. Se entiende, pues, que la corrección de exámenes implica trabajar bajo presión y que es una tarea pesada. Puede que al final queden hartos de ver que una pregunta se responde mal una y otra vez o que ciertos aspectos hayan causado confusión. Hasta pueden llegar a deprimirse. Por eso, si consigues que tu examen cueste poco de corregir porque lo presentas limpio y ordenado o porque has hecho buena letra, seguramente estarás facilitando la tarea de quien te lo tenga que corregir. Asimismo, estos aspectos también harán que el profesor sienta más simpatía por las respuestas y, como consecuencia, podrán influir positivamente en la nota.

9. *No le compliques la vida.* Si, por poner un ejemplo, redactas todo el examen con tinta verde chillona, puede que a quien lo corrija le acaben doliendo los ojos. Si ha estado mucho rato viendo verde sobre blanco, cuando tenga que escribir en el boletín (que suele ser negro sobre blanco), verá manchas rojas, lo que puede influir negativamente en su generosidad a la hora de otorgar la nota definitiva.

10. *No escribas* nada *en rojo.* Lo más probable es que te corrijan el examen en rojo. Por lo tanto, no es buena idea que tú subrayes en rojo, teniendo en cuenta que te marcarán los errores en este mismo color. Quien te corrija también anotará subtotales y totales en rojo, o sea que es mejor que no escribas ninguna cifra en este color. Utilizar el rojo puede suponer que alguien piense que estás invadiendo el territorio psicológico de aquel que corrige, por lo que vale la pena evitar este riesgo.

11. *No te emociones con los rotuladores fluorescentes.* Un rotulador fluorescente puede ayudarte mucho en la hoja de las preguntas y, en cambio, distraerte si lo usas para las respuestas, hasta pue-

de ser que las normas del examen no te permitan utilizarlo. Además, en muchas ocasiones se fotocopian los exámenes de los alumnos para que los vea más de un profesor, como ejemplos, de modo que el énfasis que hayas buscado subrayando con fluorescente puede perderse en las fotocopias.

12. *A no ser que necesites ayuda, olvídate de los vigilantes.* Los vigilantes están para que todo esté bajo control y por si alguien necesita ayuda y, claro está, para asegurarse de que nadie lleve a cabo ningún tipo de práctica injusta, como copiar. No te sientas intimidado si notas que te están mirando; de hecho, puede que ni te miren pero que a ti, al estar al lado, sí te lo parezca.

13. *Escribe en todos los folios tu código personal, así como otros datos que vengan al caso.* Si haces borradores, utilizas más de un folio o el examen tiene varias partes, comprueba que también hayas escrito en ellos tus datos. No corras el riesgo de perder una parte del examen que puede ser muy importante y, como consecuencia, perder también puntos.

14. *No levantes sospechas.* Cuando levantes la mirada del examen para, por ejemplo, descansar, no mires a nadie fijamente. Evita el contacto visual con el resto de tus compañeros. Asimismo, si notas que alguien quiere decirte algo con la mirada, mira a otro lado. También evita que alguien pueda pensar que estás intentando leer el examen de otra persona. Tampoco debes poner la página sobre el pupitre de modo que los que tengas al lado o detrás de ti puedan ver lo que has escrito. No hace falta decir que no puedes hablar con nadie y, si tienes que preguntar algo, levanta el brazo hasta que el vigilante se dé cuenta y venga hacia ti.

15. *Si crees que algo falla en los enunciados, pregúntalo a un vigilante.* Puede que falte información en una pregunta, que no te hayan repartido algo que sea necesario para contestar una pregunta, que un enunciado contenga un error tipográfico y que pierda el sentido. Si ocurre algo así, levanta el brazo y coméntaselo al vigilante. Cuando sucede algo así, normalmente se comprueba si hay algún error; incluso puede que tengan que llamar a la persona que redac-

tó el examen. También puede que tenga que venir alguien a comprobar si realmente existe tal problema. Si finalmente se comprueba que hay un error, los estudiantes serán informados de ello. Ahora bien, mientras se está comprobando, no te quedes sentando esperando: sigue con otra pregunta que esté bien, es decir, sigue sumando puntos mientras se investiga el problema.

46
Exámenes escritos

En algunas asignaturas tendrás que redactar todas o casi todas las respuestas. Antes ya hemos analizado varios aspectos sobre cómo redactar trabajos académicos. Pese a que muchos factores que ya hemos visto siguen siendo válidos a la hora de redactar las respuestas de un examen, existen algunas diferencias significativas. Para empezar, un examen no te permite hacer borradores una y otra vez. Así pues, los siguientes consejos deberían servirte para sacar tanta nota como te sea posible en un examen en el que tengas que redactar.

1. *Lee las preguntas lo más atentamente posible.* Uno de los problemas que puede plantear un examen escrito es que la pregunta o el enunciado pueda tener más de una interpretación. Así pues, es importante que analices cuál es el significado de la pregunta, el tipo de respuesta que se espera, con qué aspectos puedes obtener nota y qué sabes acerca de lo que te están preguntando. Es mucho mejor dedicar unos cuantos minutos a ver hasta qué punto estás preparado para contestar a una pregunta que precipitarse a redactar para luego, cuando ya vayas por la mitad, darte cuenta de que hubiese sido mejor escoger otra.

2. *Distribuye las preguntas en función del tiempo.* Imagínate que tienes que redactar tres respuestas en tres horas y que igual has podido tardar media hora en leer todas las preguntas debidamente y de-

cidir cuáles escoger. Asimismo, siempre debes contar con otra media hora para revisar y corregirlas al final, por lo que sólo te quedarán dos horas para redactar las preguntas. Así pues, en función de ello deberás distribuirte el tiempo para cada pregunta.

3. *Planifica las respuestas.* En un examen también vale la pena dedicar unos minutos a hacer un esquema de lo que vas a decir. Una versión reducida del diagrama ovalado puede irte muy bien. Dedicar cinco minutos a recopilar ideas y decidir cómo presentarlas equivale a tiempo bien empleado, ya que así te ahorrarás más de cinco minutos una vez que estés redactando. Además, aplicando este sistema seguramente sacarás mejor nota que si te hubieses lanzado a escribir sin pensar.

4. *Si haces algún esquema, inclúyelo cuando devuelvas el examen.* A veces vale la pena hacer el esquema en la misma hoja de examen antes de empezar a redactar. Pregunta a los profesores qué piensan al respecto y, si se muestran de acuerdo, adopta esta práctica a la hora de hacer el examen. Si en cambio no son partidarios de ello, hazte los esquemas en el dorso o en una hoja aparte. Presentar el esquema de una respuesta demuestra que no te has precipitado a la hora de contestar. Puede que en alguna ocasión (en el caso, por ejemplo, de que el tiempo se te haya echado encima) el profesor se mire el esquema para ver que más hubieses escrito si hubieses tenido tiempo, lo que, con un poco de suerte, podría traducirse en algún punto de más.

5. *La introducción a una respuesta es crucial,* puesto que en función de ello irán las expectativas del profesor. No existe una segunda oportunidad para dar una primera buena impresión. Así pues, vale la pena redactar la introducción con extremo cuidado y que el resto del texto le haga justicia. En este sentido, no debes presentar aspectos importantes de los que luego no tengas tiempo de hablar debidamente.

6. *Plantéate* no *redactar la introducción hasta el final.* Al igual que los trabajos de curso, el momento más adecuado para redactar el comienzo de una pregunta es cuando ya conoces los contenidos de la parte principal así como las conclusiones. En un examen también puedes hacer esto, sobre todo si ya lo has hecho otras veces. Para ello, debes dejar un espacio en blanco para los primeros párrafos al empezar y luego añadirlos cuando ya tengas más o menos listo el resto de la pregunta. Si quieres aplicar este método, necesitas algo de práctica en cuanto a maquetación, ya que tienes que ajustar o extender la introducción según el espacio que previamente hayas dejado en blanco.

7. *No vayas a por los últimos puntos en esta clase de preguntas.* Imagínate que una pregunta cuya respuesta debe redactarse vale dos puntos: te costará poco conseguir un punto (aunque no sepas demasiado sobre el tema) siempre que escribas algo que responda a lo que te estén preguntando. En cambio, lo que ya es más difícil es obtener los dos puntos. Por norma general, un 1,6 o un 1,7 ya se considera una muy buena puntuación. Así pues, realmente no vale la pena pasarse media hora persiguiendo esos pocos puntos tan difíciles de obtener.

8. *Escribe frases cortas y sencillas.* Incluso las ideas más complejas pueden expresarse mediante frases cortas. Las frases largas en un examen incrementan las probabilidades de que el profesor no capte lo que quieres decir. Asimismo, con las frases largas también existen más probabilidades de terminar diciendo algo distinto a lo que en realidad se quiere decir o que quien corrige tenga que leérselo más de una vez para entender el significado. Todo esto repercute en la tarea de corrección por parte del profesor, lo que también puede repercutir negativamente en la nota final.

47
Cálculos y problemas

Existen varias diferencias entre los exámenes redactados y los que requieren operaciones numéricas. En alguna ocasión quizá puedas elegir entre redacción y operaciones. Cuanto más sepas sobre cómo abordar ambas clases de preguntas, mejor. Evidentemente, si sólo vas a hacer exámenes escritos, no hace falta que te detengas en este apartado.

1. *Recuerda que puedes conseguir* todos *los puntos con las preguntas que requieren una operación.* Si una pregunta de esta clase vale dos puntos y aciertas el resultado, obtendrás esos dos puntos. En estos casos, es imposible que te descuenten puntos si lo has hecho perfecto. Así que si puedes elegir entre una pregunta cuya respuesta deba redactarse y otra que deba resolverse mediante una operación y estás seguro de que en este último caso no vas a fallar, vale la pena que escojas la segunda opción. En cambio, si crees que no harás bien esta última pregunta, siempre puedes escoger la opción escrita.

2. *Asegúrate de que* realmente *sabes cómo responder.* Una de las dificultades de las preguntas numéricas es que les puedes dedicar mucho tiempo y al final no llegar a ningún lado. Si no puedes dar con la respuesta, terminarás sin un solo punto. A veces se tarda un poco en ver si te está saliendo bien o no. Si ya has hecho varios problemas de este tipo, sabrás si vale la pena arriesgarse o no.

3. *Ten especial cuidado con el tiempo.* Pongamos que tienes que responder a cinco preguntas numéricas en un examen de tres horas. Como ya he dicho anteriormente, al final este tiempo queda reducido a media hora por pregunta, con lo que hay que haber leído bien los enunciados, sumar lo que tardes en revisar y corregir al final. Sin embargo, las preguntas numéricas ofrecen más posibilidades. Si has practicado mucho un tipo de problemas, puede que acabes en diez minutos o incluso menos y que en este espacio de tiempo hayas podido conseguir la máxima puntuación. Pero también puede pasar que en otro problema te encalles calculando y que pase media hora y todavía no hayas conseguido resolverlo. En estos casos cabe la posibilidad de que no obtengas ningún punto.

4. *Prográmate una estrategia.* Una vez hayas escogido las preguntas que vas a responder, te irá bien empezar por la parte fácil de cada pregunta, con lo que ya tendrás unos puntos asegurados. Después, ya podrás pasar a lo más complicado, siempre teniendo en cuenta el tiempo con el que cuentas para distribuírtelo en función de la nota que puedas sacar con cada respuesta.

5. *Deja que el profesor vea el planteamiento del problema.* Como ya he dicho antes, si aciertas una pregunta numérica, sacarás la máxima puntuación. En cambio, si te equivocas, puede que no te den ni un solo punto. La diferencia, pues, es mucha y mucho mayor de la que puede haber entre una respuesta escrita brillante y otra que sea mediocre. ¿Qué ocurre, pues, si has hecho bien una parte del problema pero has fallado en el resultado? En un caso así, pueden darte casi todos los puntos o ninguno en función de una sola cosa: que el profesor que corrige vea exactamente lo que has hecho. Si éste ve dónde has fallado y que el resto lo tienes bien, seguramente terminará dándote casi todos los puntos, incluso aunque te hayas equivocado en el resultado. Si, en cambio, no puede ver cómo has llevado a cabo el cálculo, te quedarás sin ningún punto. Así que vale la pena mostrar los pasos que has seguido: muestra la ecuación que has utilizado para calcular algo, todos los datos que hayas utilizado, etc.

6. *Haz gráficos y diagramas grandes.* No pagarás más por utilizar más papel. Un diagrama o gráfico pueden hablar por sí mismos y hacer entender al profesor que corrija que esta opción es mejor que cualquier explicación con palabras. Asimismo, también es importantísimo el factor tiempo, ya que hacer un diagrama o gráfico es más rápido que redactar.

7. *Pon nombres a los diagramas o gráficos.* Con los gráficos siempre perderás puntos si no incluyes los nombres correspondientes en los ejes, si no escoges bien o no indicas la escala, etc. Por lo que se refiere a los diagramas, es necesario que indiques todas las partes con la información correspondiente, para que el diagrama sea claro. Ten en cuenta la opción de indicar en la respuesta «véase la figura» para remitir al profesor al diagrama, tal y como lo harías en el caso de estar escribiendo un artículo, sin olvidar de incluir una nota en el diagrama («Figura 3: ilustración de...»).

8. *Cuando calcules, ten cuidado con el número de cifras significativas que utilices en las respuestas.* Puede que, en una operación complicada, la calculadora te dé como resultado 3.120,26. Cuando tengas que combinar los errores experimentales en la información que has utilizado a lo largo del problema, el modo más inteligente de hacerlo será indicando 3.100 más o menos 200, queriendo decir una cifra entre 2.900 y 3.300. Esto puede expresarse del siguiente modo: 3.100 ± 200. En las preguntas numéricas, siempre puedes asumir que perderás puntos cada vez que des una respuesta final que siga incluyendo demasiadas cifras significativas. No cabe duda de que se pueden escribir todas las cifras tal como han aparecido en la calculadora mientras hacías el problema.

9. *Si te encallas en una pregunta de este tipo, pasa a otra cosa.* Es peligroso no parar de darle vueltas a algo pensando que lo puedes hacer y que al final vas a sacarlo. Los minutos irán pasando y no sumarás ningún punto hasta que no saques el problema o avances con otra cosa.

48

Hacia el final del examen

A lo largo de estos últimos apartados he ido haciendo hincapié en la importancia de dejar siempre unos minutos al final del examen. Si un examen dura tres horas, por ejemplo, deja veinte minutos o un poco más de tiempo al final. De hecho, estos minutos pueden proporcionarte más nota que cualquier otro espacio de veinte minutos durante el examen; es decir: la media de puntos conseguidos por minuto puede incrementar al final del examen. Estos últimos puntos pueden ser decisivos y marcar la diferencia entre un suspenso y un aprobado, o entre una nota baja y una nota alta. Al fin y al cabo, todo depende de ti, ya que nadie te puede decir lo que debes hacer al final de un examen. No obstante, espero que los siguientes consejos te convenzan para que adoptes una serie de tácticas inteligentes a fin de que saques el máximo partido de los últimos minutos de un examen.

1. *Si ya has terminado, no cedas ante la tentación de dejar el aula.* Quizás os den permiso para iros una vez vayáis terminando el examen. Sin duda alguna, el mundo exterior es un lugar mucho más agradable en comparación con un aula de examen. A estas alturas seguro que no ves la hora de estar fuera. Quizá tengas hambre, sed o las dos cosas. O simplemente ganas de echar la siesta. A tu alrededor la gente ya está entregando los exámenes y yéndose, pero si te vas sin antes haber hecho todo lo que viene a continuación, ha-

brás podido perder la oportunidad de sacar mejor nota. Tan pronto estés fuera, puede que de repente se te ocurra algo que hubieses querido poner en la pregunta 3 y de lo que entonces no te acordaste. También puede que te des cuenta de haber puesto algo mal en la pregunta 2 o de haberte olvidado algo en la pregunta 5. Sin embargo, ahora ya es demasiado tarde: una vez que has salido del aula ya no puedes hacer nada.

2. *Puede que no esté* permitido *abandonar el aula.* Algunos centros tienen como política no permitir que los alumnos abandonen el aula durante la media hora previa a la finalización del examen, ya que al levantarse y hacer ruido pueden molestar a aquellos que todavía están haciendo el examen.

3. *Si no has podido terminar, déjalo.* Pese a lo tentador que pueda ser seguir respondiendo, llegado un cierto punto es mejor dejarlo y pasar a aspectos que te ayuden a subir nota. Si todavía estás redactando una respuesta, seguramente estarás persiguiendo esos pocos puntos para sacar la máxima nota. Puede que ya tengas 1,4 de 2, por ejemplo, y que al final, si terminases de redactar la respuesta, sólo te diesen una décima más. O puede que, por ejemplo, sacases 0,8 de 2 y sólo tuvieses tiempo de conseguir 0,9 puntos en los veinte minutos restantes. Al fin y al cabo, piensa que se trata de la última pregunta y que de todos modos será la menos buena.

4. *Pero no lo hagas de cualquier manera.* Concluye lo que estés escribiendo de tal modo que no parezca que hayas dejado de escribir de repente. Redacta, pues, una conclusión recalcando los puntos más importantes o, si se trata de un cálculo, subraya el resultado. Para ello sólo deberías invertir unos pocos minutos y luego parar definitivamente.

5. *Respira hondo y relájate un poco.* Estira las piernas (y brazos, si lo haces con discreción). Deja que el cerebro repose ya que pronto volverás a activarlo.

6. *Reconoce que no es que realmente te* apetezca *hacer lo que te toca hacer ahora, pero que vale la pena.* Ahora es el momento de revisar absolutamente todo lo que has puesto desde el principio y sabes muy bien que se trata de una idea inteligente.

7. *¡Hazlo!* Vuelve a la primera respuesta y léetela de principio a fin bolígrafo en mano. Asimismo, vuelve a leer los enunciados y, a medida que lo vayas haciendo…

8. *…añade lo que convenga.* Ahora se te ocurrirán ideas que no tuviste al redactar la respuesta original y quizá se trate de algo que pueda proporcionarte todavía más puntos. Añade, pues, esta información entre los párrafos que ya tengas. Si no tienes espacio, pon asteriscos o cualquier otro símbolo y escribe notas a pie de página. No importa la cantidad de símbolos que utilices, siempre que el profesor encuentre luego la información correspondiente. Así pues, hazlo tantas veces como sea necesario y…

9. *…corrige.* Igual encuentras alguna frase cuyo sentido no es el que tú querías darle en principio y de hecho has terminado afirmando justo lo contrario. Piensa que te puntuarán por lo que has escrito, no por lo que en principio querías decir. Quien corrige el examen no es adivino, y por ello ahora es el momento de asegurarte de que lo que has puesto es lo que querías decir. Asimismo…

10. *…organiza la información.* Sobre todo haz tanto como puedas para que al profesor no le cueste puntuar tus respuestas. Vale la pena, pues, que quede muy claro dónde empieza y dónde acaba cada pregunta, así como dónde empiezan las partes de una misma pregunta. Resalta los títulos y puntos principales y también…

11. *…reafirma las conclusiones.* Vale la pena dejar claro dónde finaliza cada respuesta. En el caso de un problema, es aconsejable que subrayes el resultado final en vez de dejarlo tal cual. Por lo que se refiere a las respuestas redactadas, las líneas finales deben contener una conclusión sólida. Recuerda que el final de una respuesta a cualquier pregunta es lo último que leerá el profesor antes de decidir la nota que te pone. Procura, pues, que la última impresión que tenga sea favorable: las buenas conclusiones influyen positivamente en la nota. Y si puedes…

12. *…intenta rescatar de tu memoria información perdida.* Ahora que ya casi has terminado y que aplicando estos últimos consejos te has asegurado unos puntos de más, todavía puedes intentar

exprimirte el cerebro un poquito más e intentar recordar algo que se te escapa. Cuando ya estás a punto de terminar, es muy poco probable que te quedes en blanco y, si te ocurriese, a esas alturas ya no tendría importancia.

13. *Si dejas alguna respuesta a medias, deja claras tus intenciones.* Imagínate que has empezado la pregunta 3 pero que luego, en vez de continuar, la has dejado y te has puesto a contestar a la pregunta 8. En estos casos, siempre debes tachar la pregunta que no es válida, ya que, de lo contrario, puede que también te la evalúen. Lo que nunca debes hacer es borrarla del todo, ya que si estás entre el aprobado y el suspenso, por ejemplo, y el profesor tiene que tomar una decisión, puede que tenga en cuenta lo que empezaste a escribir y luego tachaste y que la balanza acabe decantándose a tu favor.

14. *Si has utilizado borradores, inclúyelos.* Sería una pena que perdieses la oportunidad de sacar mejor nota por no incluir esas ideas o ese gráfico que hiciste en una hoja aparte.

15. *Una vez hayas hecho lo hasta aquí mencionado, vuelve a la pregunta que no hayas terminado.* Ahora que ya te has asegurado unos puntos más gracias a la revisión y corrección de las preguntas que ya tenías hechas, puedes acabar de contestar a las preguntas que dejaste a medias e intentar pescar esos puntos que parecen escaparse.

16. *Si todavía hay tiempo y ya lo has hecho todo, relájate.* En el caso de que esté permitido abandonar el aula, intenta evitar la tentación de irte y vuelve a repasar lo que hayas hecho. Todavía estás a tiempo de corregir, añadir o cambiar lo que convenga. Puede que tengas una ráfaga de inspiración y que se te ocurra algo que te sirva para subir nota. En cambio, si entregases el examen y te marchases, esta inspiración ya no te serviría para nada.

49
Tras un examen

Éste es el momento más esperado, ya no desde que empezaste el examen, si no desde hace semanas, meses o incluso más tiempo. Ya ha llegado, ya estás fuera del aula de examen, eres libre, el examen ha finalizado, puedes volver a ser una persona normal. Entonces, ¿de qué sirven todos estos consejos?

1. *Lo que puedas hacer ahora ya no puede influir en la nota que vayas a sacar.* Ahora el examen ya ha pasado a la historia y no se puede hacer nada con la nota, sea buena o mala. Dicho esto, hay ciertas cosas que, llegado este punto, mejor que no hagas.

2. *No le practiques la autopsia al examen.* Tiene que quedarte claro que el examen ya se ha ido a otro mundo y que no van a subirte la nota por querer saber precisamente ahora cómo hubieses podido responder todavía mejor a esas preguntas. Una autopsia requeriría una energía mental que no puedes desperdiciar de cualquier manera, especialmente si se aproxima algún otro examen. Una vez hayas terminado todos los exámenes, sí que puedes dedicarte a hacerles la autopsia, si así lo deseas. Pero procura que éste no sea el caso si todavía te queda algún examen. «¿Por qué?», te preguntarás…

3. *Terminarás deprimiéndote si le practicas la autopsia al examen.* No cabe duda de que te alegrará saber que has acertado una pregunta específica. No obstante, el problema con las autopsias es que también tendrás sorpresas desagradables y que te darás cuenta de más de una cosa que no pusiste. De hecho, estas sorpresas desagradables serán lo que más te afectará.

4. *Procura no hablar con otras personas que también se hayan examinado.* No pasa nada si hablas con alguien que se haya examinado de otra asignatura. En cambio, si te dedicas a hablar con personas que han hecho el mismo examen que tú, te enterarás de todo lo que han hecho bien y tú no. Asimismo, también puedes enterarte de lo que no hicieron y tú sí, aunque igual ni le das importancia si todavía le estás dando vueltas a lo que hiciste mal y ellos bien.

5. *No dejes que la gente te deprima.* Hay personas que parecen pasárselo bien cortando las alas a los demás. Quién sabe, igual así se sienten mejor. Si en realidad has hecho algo muy mal en el examen que acabas de entregar y no eres consciente de ello, siempre es mejor no saberlo, por lo menos en ese momento. Sólo vale la pena ser consciente de estos errores en el caso de que tengan que ver con los próximos exámenes.

215

6. *A algunas personas les afecta tanto el resultado de la autopsia que terminan suspendiendo el* siguiente *examen.* Acabar desanimado por culpa del resultado de la autopsia puede ser perjudicial para el próximo examen y después, como resultado de este estado de ánimos, influir negativamente no sólo en la nota, sino también en lo que estés estudiando.

7. *No malgastes energía.* Practicar una autopsia requiere mucha energía. ¿Tanto te gusta hacer exámenes para luego querer revivir todo el acontecimiento y encima a cámara lenta? Es mejor que aproveches tu energía para otras cosas.

8. *«¡Pero todavía no estoy preparado para relajarme!»* Cierto, ya que todavía tienes más adrenalina de la cuenta en el cuerpo y no te resulta fácil desconectar y relajarte. Sin embargo, no derroches toda esta adrenalina en algo tan inútil como una autopsia y ahórrala para el próximo examen.

9. *Repasa un poco de cara al próximo examen.* Vuelve al banco de preguntas para estudiar la asignatura de la que ahora tengas que examinarte. Con calma, ve recordando lo que ya sabes e identifica los aspectos que tendrás que revisar más profundamente. Esto es algo que no cuesta tanto y que al mismo tiempo te irá preparando para lo que tienes que afrontar, lo cual es mucho más positivo que estar dándole vueltas a lo que ya está hecho.

10. *Ordena y organiza el material.* Archiva el material que ya no te sirva y saca lo que vayas a necesitar para el próximo examen. De esta manera estarás abriendo un espacio para la próxima fase de tus obligaciones.

11. *Deja que los nuevos conocimientos acaben con los recuerdos de los viejos conocimientos.* Estudiar un poco te sirve para tener la sensación de haber dejado un examen atrás y estar avanzando hacia el próximo. Pronto podrás respirar, pero por ahora estás haciendo algo inteligente y lógico.

12. *Detente a pensar en lo que has aprendido sobre* métodos *desde la última vez que te examinaste.* Quizás éste sea el único momento en que vale la pena pararse a reflexionar acerca del examen

que ya está hecho. ¿Te administraste bien el tiempo? Si no lo hiciste, piensa qué puedes hacer para que no te vuelva a ocurrir. ¿Te dio tiempo a revisar y corregir? Piensa que esto es algo que debes hacer siempre. Considera cada examen como una ocasión para aprender a desarrollar todavía mejor tus habilidades en el juego de ser un estudiante con éxito. Toma nota de lo que te ha funcionado así como de lo que no te ha ido bien y aplícalo de un modo general, es decir, no pretendas querer saber cuál era la respuesta a la pregunta número 3.

13. *Prográmate el próximo calendario de estudio.* Estudia cuál es la mejor manera de organizarte el tiempo entre ahora y el próximo examen. No olvides que este calendario debe incluir pausas, ser variado, etc. Asimismo, ten en cuenta cuáles son los temas a los que debes dedicarles más tiempo.

14. *Ahora ya puedes ser un creído.* Otros estudiantes que también hayan hecho el mismo examen que tú estarán ahora haciéndole la autopsia a sus exámenes; en cambio, tu ya estarás en otra fase y listo para afrontar el próximo examen. Te mereces, pues, un descanso. Diséñate tú mismo un sistema de recompensas. De todos modos, no planifiques una borrachera de campeonato, ¡por lo menos hasta que no hayas terminado del todo con los exámenes!

50

Exámenes con libros

Muchos de los consejos que hemos visto hasta ahora son válidos para muchos exámenes. De hecho, existen muchas clases de examen y cada una de ellas plantea su propio método de estudio y de abordarlo. Los consejos que encontrarás a continuación te servirán para que perfecciones las técnicas de estudio y de examen en el caso de que puedas hacerlo con libros.

1. *No te digas: «Será fácil: voy a poder consultar los libros».* De hecho, es cierto que podrás consultarlos, pero en esto existe un peligro: que dediques más tiempo a consultar que a redactar las respuestas. Piensa que sólo te puntuarán lo que escribas. Está claro que si se trata de un examen para el cual está permitido consultar material, es mejor que lo hagas; pero hazlo rápido y de un modo muy estructurado y previamente practicado, ya que es recomendable que te hayas leído el libro antes del examen.

2. *Antes del examen, familiarízate tanto como puedas con los libros.* Este tipo de exámenes se diferencian por permitir al estudiante tener en la mesa libros de texto o cualquier otra clase de material impreso. Por regla general, te dirán cuál es el material que podrás consultar durante el examen. Así pues, empieza a familiarizarte tanto como puedas con este material mucho antes de que el examen tenga lugar.

3. *Infórmate de si os van a repartir los libros en la misma aula de examen.* A veces todos los estudiantes deben consultar una misma obra, con lo que la información procederá de la misma fuente. Ahora bien, también cabe la posibilidad de que puedas escoger qué material consultar. Sea como sea, recuerda que se habrán establecido límites por lo que se refiere a la cantidad de material que puedas traer y que el espacio del pupitre también es limitado.

4. *Infórmate de si también está permitido consultar los apuntes.* En los exámenes en los que está permitido consultar libros también suele estar permitido consultar cualquier otro tipo de material de referencia que pueda serte de ayuda, lo que incluye tus resúmenes y apuntes.

5. *Si consultar libros depende de ti, búscalos con tiempo.* Lo más seguro es que los ejemplares de la biblioteca desaparezcan rápidamente y que la librería los agote. Sea como sea, deberás conseguir ejemplares de los libros que te interesen con el tiempo suficiente para poder familiarizarte con los contenidos.

6. *Infórmate de las* partes *del libro que sean importantes para el examen.* Compara los libros con el programa de la asignatura, los objetivos y las preguntas de otros exámenes anteriores. Verás, por regla general, que algunas partes del libro poco tienen que ver con los contenidos del examen, mientras que otras están directamente relacionadas con ellos. Familiarízate, pues, con estas últimas.

7. *Aprende a ser rápido* buscando. Cuando se conoce bien un libro, los índices y las tablas de contenidos para encontrar las páginas que interesan se utilizan con agilidad. Una vez en el aula de examen, cuanto más rápido seas a la hora de consultar, más tiempo tendrás para redactar la respuesta. Acuérdate de nuevo de que no te pondrán nota por lo que no escribas.

8. *Antes del examen, practica respondiendo a preguntas con el libro.* Basarte en un libro para responder es muy distinto a tener que responder sin poder consultar nada. Pese a ello, también tendrás que ejercitar la memoria para relacionar los libros con la información que hayas obtenido por otras vías. En cuanto al examen, se es-

perará que respondas a las preguntas a partir del contexto que te ofrecen esos libros en concreto.

9. *Date tiempo para leer bien.* Cuando hagas un examen de estas características, piensa que no sólo necesitarás tiempo para leer los enunciados, sino que también deberás darte un espacio de tiempo suficiente para realizar las consultas correspondientes.

10. *No copies lo que ponga en el libro.* En el caso de que todos los estudiantes tengan que consultar el mismo libro, quizá todo lo que tengas que hacer sea especificar la página y el párrafo mediante una referencia para luego argumentar con tus propias palabras el contenido de esta información. Está claro, pues, que no vale la pena que empieces a copiarlo todo y que luego empieces a redactar. Piensa que no te subirán la nota por copiar directamente y que se trata de una pérdida tanto de tiempo como de energía.

11. *Indica las referencias, especificando el lugar del libro que contiene una información determinada.* Quizás el nombre del autor y el título del libro coincidan en todas las referencias que tengas que especificar, por lo que es mejor que sólo des la referencia completa la primera vez. Ahora bien, puede que un libro se haya editado más de una vez y que un párrafo concreto no siempre esté en la misma página. Así pues, cada vez que debas citar algo de un libro, asegúrate de que el profesor entienda siempre de qué referencia estás hablando.

12. *Como siempre, léete muy bien las preguntas.* Las preguntas en un examen de estas características suelen ser muy distintas a las de un examen convencional. En estos casos se espera que argumentes aspectos tratados en un libro, que los comentes, tomes decisiones al respecto, las apliques, etc. Se trata, pues, de ir más allá de la mera descripción de lo que ya está en el libro.

51

Exámenes escritos cuyo contenido ya ha sido avanzado

Otra modalidad de exámenes son aquellos cuyo contenido ha sido avanzado previamente. La principal característica de esta modalidad de examen es que al alumno se le dan a conocer las preguntas con anterioridad. Si en alguna ocasión tienes que enfrentarte a un examen de estas características, lo más probable es que te faciliten las preguntas poco tiempo antes de la convocatoria. Es posible que te las proporcionen tal y como vayan a aparecer en el examen o que se limiten a facilitarte información sobre ellas. Como en el caso de los exámenes convencionales, éstos también suelen hacerse a contrarreloj, sólo que sin sorpresas por lo que se refiere a las preguntas. Casi todos los consejos sobre estudiar y sobre hacer los exámenes que hemos visto hasta ahora son igualmente válidos para los exámenes cuyo contenido ya ha sido avanzado, aunque también existe alguna diferencia.

1. *Ponte manos a la obra inmediatamente.* Si ya sabes qué preguntas van a entrar en un examen, cuando estudies puedes centrarte exclusivamente en responderlas. En este sentido, vale la pena que te pongas manos a la obra tan pronto como sepas las preguntas. Como en el caso de otras actividades a contrarreloj, cuanto más practiques la respuesta a una pregunta específica, mejor lo harás cuando tengas que afrontar la situación real.

2. *Comprueba cuáles son las preguntas que mejor vas a contestar.* De hecho, este consejo sólo puede ponerse en práctica en el caso de poder elegir las preguntas. El mejor modo de verlo es con la experiencia, ya que una pregunta puede parecer fácil y, cuando empiezas a contestarla, resulte mucho más complicada. Así pues, cuando estés estudiando para el examen, antes de tomar una decisión analiza lo que te van a preguntar en cada caso.

3. *Intenta ver cuáles son los aspectos más* relevantes *en cada pregunta.* Uno de los problemas de esta clase de exámenes es que resulta tan fácil encontrar información sobre una misma pregunta que podrías escribir acerca del tema durante horas y horas. Pero el examen consistirá en un mínimo de dos o tres preguntas o incluso más. Por lo tanto, el problema que plantean estos exámenes es dedicarle demasiado tiempo a una misma pregunta.

4. *Hazte esquemas.* Como en el caso de los trabajos de curso, te será de gran ayuda pensar cuál es la información que quieres hacer constar en la respuesta y, a continuación, hacerte un esquema sobre cómo vas a estructurarla. A partir de ahí redúcelo a medida que adquieras experiencia practicando la respuesta.

5. Saber *cómo responder a las preguntas no es suficiente.* En un examen de estas características, como en cualquier otro tipo de examen, sacarás una nota u otra según lo que hayas redactado. Puede que domines un tema a la perfección, pero que en cambio te cueste plasmar tus conocimientos por escrito.

6. *Practica* redactando *respuestas* y, cuando lo hagas, controla el tiempo que tardas hasta que veas hasta dónde puedes llegar en media hora o una hora, siempre teniendo en cuenta el tiempo del que dispondrás en el examen.

7. *Practica para ser más rápido.* Cuanto más hayas practicado, menos tiempo tardarás en pensar y redactar cada respuesta. Esto también significa que dispondrás de más tiempo para escribir, lo que te ayudará mucho si eres lento escribiendo a mano.

8. *Sé muy meticuloso con el contenido de las respuestas.* Una vez hayas redactado varias veces la repuesta a una pregunta, léete

de nuevo el enunciado y luego piensa qué nota te pondrías. Para ello, vuelve a repasar las respuestas y mira si hay algo que no responde a lo que te pedían. Si ves que hay fallos, omítelos.

9. *Ve practicando para que las respuestas sean mejores, no más extensas.* Piensa que de todos modos durante el examen no tendrás mucho tiempo para redactar respuestas demasiado extensas. Así que será muy importante que el tiempo que le dediques a cada respuesta se corresponda con los puntos que valga.

10. *En el caso de poder escoger, justifica la elección de tus preguntas.* Sólo estarás capacitado para tomar una decisión tras haber practicado. Esa pregunta que a primera vista parece fácil luego no lo es tanto y la que parecía complicada resulta que no lo es en absoluto.

11. *Contempla la posibilidad de estudiar con otros compañeros.* Si por ejemplo hacéis un intercambio de respuestas, todos os podéis beneficiar de la manera en que cada uno ha abordado la pregunta. Como resultado, en el examen tendréis más posibilidades de hacerlo aún mejor. Además, es difícil que os puedan acusar de haberos copiado, puesto que es casi imposible que vayáis a utilizar las mismas palabras y frases.

12. *En el momento del examen, léete las preguntas atentamente.* Puede que coincidan con las que ya te habían dicho que saldrían. Pero también puede ocurrir que se haya introducido alguna pequeña variación, la puntuación ya no sea la misma o puedas elegir entre alguna pregunta más. Esto significa que no debes dar por sentado que te sabes las preguntas. Sólo tardarás un par de minutos en leerlas de nuevo.

13. *Tómate algún respiro a lo largo del examen.* Puede que tengas la cabeza llena de cosas que quieres poner. Sin embargo, no hay nadie que pueda escribir bien y sin parar durante dos horas. Así que detente de vez en cuando y reflexiona acerca de la mejor manera de plasmar las ideas que tengas.

14. *Al final, date tiempo para revisar y retocar el examen.* Aquí los exámenes escritos cuyos contenidos ya han sido avanzados no se diferencian de los exámenes convencionales. Por ello vale la pena que revises lo que hayas escrito y te asegures de que has puesto lo que querías decir. De este modo tendrás más probabilidades de sacar mejor nota.

Esta modalidad de examen presenta varias diferencias respecto al examen escrito. Para empezar, puede que no tengas que escribir nada. Hay distintas clases de test, cuyas características veremos en este apartado. Los test suelen utilizarse para evaluar distintos aspectos de una misma asignatura. Quizá ya hayas hecho más de uno y, si no es así, estos consejos deberían servirte para poder enfrentarte a esta modalidad de examen de un modo sistemático y lógico. Empezaré con algunas preguntas que quizá te hagas acerca de los test.

1. *«¿Qué es un* test*?»* Un test suele consistir en un conjunto de preguntas cortas y estructuradas que a su vez contienen varias respuestas, de las cuales una es o bien la correcta o bien la mejor. Por norma general, las posibles respuestas por pregunta son cuatro, aunque a veces hay más. Si señalas la respuesta correcta (o mejor), obtienes un número específico de puntos. El resto de opciones o bien no suman puntos o bien descuentan.

2. *«¿Cuál es la función de las* otras *respuestas?»* En la mayoría de los casos están para distraer, como si se tratase de una trampa. Puede que en parte sean correctas, pero no tanto como la opción considerada totalmente correcta. Asimismo, se supone que estas respuestas son verosímiles: esto significa que un estudiante que no vea la diferencia en-

tre una respuesta incorrecta y la que es correcta (o mejor) puede perfectamente marcar la primera.

3. *«¿Qué es lo que debo hacer en un test?»* Esto es algo que varía. Algunos test se hacen por ordenador. En estos casos, en la pantalla aparece una pregunta junto con las posibles respuestas, de las cuales se marca una con el ratón. Una vez lo has hecho, aparece la siguiente pregunta, y así sucesivamente.

4. *«¿Un examen sin bolígrafo?»* Si haces el examen por ordenador, no necesitarás el bolígrafo. Ahora bien, también hay test en papel para los que sí necesitarás un bolígrafo o un lápiz con los que marcarás una cruz en el espacio que aparece al lado de las respuestas que consideres correctas o mejores. Lo más normal es que te pasen test cuya corrección se lleve a cabo mediante un lector óptico, que a su vez está programado para calcular automáticamente la nota. En estos casos tendrás las preguntas con sus correspondientes respuestas en una misma hoja y, en una hoja aparte, unos recuadros para que marques tus opciones.

5. *La mejor manera de estudiar para un test es familiarizarte con el formato.* Lo más recomendable en este caso es que practiques con más test. Puede que estén disponibles ya sea en soporte software a través de una intranet o en papel, aunque la mejor manera de adquirir agilidad es haciéndote tú mismo las preguntas o, lo que es todavía mejor, practicar con un amigo.

6. *Los test miden el tiempo.* Esta vez no se trata de ver lo rápido que respondes a una pregunta, sino lo rápido que piensas. Los test miden concretamente cuánto tardas en tomar una decisión ante las opciones que te ofrecen. La rapidez, claro está, se adquiere practicando.

7. *En los test se ve si has leído bien las preguntas.* Los test suelen contener muchas preguntas, por lo general de cincuenta a cien, con sus correspondientes respuestas, que suelen ser cuatro o cinco. Así pues, no sólo debes leer todas estas preguntas y respuestas con rapidez, sino también de manera correcta.

8. *Los test cansan.* Esto se debe a tener que tomar una decisión tras otra sin parar. Constantemente te estarás haciendo preguntas,

como por ejemplo: «¿Será ésta la respuesta acertada?», «¿Y si esta respuesta es una trampa?», «Y si lo es, ¿por qué?», etc. Una hora de test puede abarcar bastante más material del que se necesitaría para tres horas de examen escrito y esto supone tener que pensar mucho.

9. *Antes de un test, infórmate de lo que tendrás que hacer.* Si el test va a ser por ordenador, deberías poder practicar hasta dominar el programa. Si va a tener lugar en un aula convencional y tratarse de un test sobre papel y después lo corregirán mediante el sistema del lector óptico, entérate previamente de cómo marcar las opciones. En este último caso muy probablemente tendrás que poner tu código personal, así como otros datos en un apartado destinado a ello y, como con las respuestas, quizá tengas que hacerlo con un lápiz para que luego lo pueda leer el sistema. Teniendo en cuenta que posiblemente estos datos tengas que escribirlos no en la hoja del test sino en una hoja aparte, si no indicas tus datos debidamente no se entenderá que se trata de tu test y te quedarás sin nota.

10. *Mantén la calma a lo largo del examen.* No te precipites, ya que corres el peligro de encallarte teniendo en cuenta todo lo que tienes que pensar. Ve pregunta por pregunta, tal como te indico a continuación.

11. *Lee con mucho cuidado la pregunta y sus respectivas opciones.* Ve con pies de plomo, ya que una de las opciones igual sólo contiene una palabra incorrecta que está actuando de trampa. Palabras que pueden dar la impresión de carecer de importancia, como por ejemplo un simple «no», pueden ser cruciales.

12. *Si estás* seguro *de que una de las opciones es correcta, márcala* y comprueba inmediatamente que las otras son incorrectas o menos adecuadas. Así ya tendrás una pregunta liquidada.

13. *Si una opción concreta parece correcta, ten en cuenta las posibles trampas antes de decidirte.* Si ves que algo falla en el resto de la opciones, seguramente sea correcta la que tú creías que estaba bien, así que márcala.

14. *Si dudas ante una pregunta, intenta contestarla por eliminación.* Lee bien el resto de las opciones e intenta ver cuál es la que

indudablemente es incorrecta. Seguramente se trate de una trampa. A continuación intenta encontrar otra que también sea sospechosa. Si al final te quedas ante una única opción y ésta no parece incorrecta, vale la pena apostar por ella y marcarla.

15. *Aprovecha al máximo la flexibilidad que puedas tener.* Los test sobre papel (vayan a corregirse o no mediante lector óptico) permiten volver a preguntas anteriores y seguir el orden que más te convenga. Si tienes esta posibilidad, es recomendable que primero te dediques a las preguntas que consideras fáciles (es decir, cuando conoces la respuesta), asegurándote de este modo unos cuantos puntos. Una vez que ya las tengas marcadas, pasa a las preguntas más complicadas, las que requieran más energía e ir con más cuidado con las trampas. Los exámenes por ordenador quizá no sean tan flexibles y no te quede más remedio que marcar las respuestas según aparezcan en la pantalla.

16. *Una vez que hayas terminado el test, comprueba que lo has completado todo.* Si te lo han entregado en una hoja, comprueba que no falte tu código de estudiante ni ningún otro detalle personal que sea pertinente. En un test por ordenador, sal debidamente del programa si así te lo piden.

227

53
Prepararse para la recuperación

Que te quede alguna asignatura pendiente seguro que no entra dentro de tus planes. Sin embargo, existe la posibilidad de que te encuentres en esta situación, algo que les ocurre a muchísimos estudiantes. Puede que no sea culpa tuya y que te haya ocurrido a causa de una serie de circunstancias desfavorables. Sea cual sea el motivo, lo mejor es volverte a preparar y hacerlo de un modo efectivo y lógico. Los consejos que encontrarás a continuación están pensados para un examen convencional, aunque también son válidos para cualquier otra modalidad de examen.

1. *Acepta la situación.* Sentir rabia o lamentarte no te servirá de nada y sólo te hará perder energía. Ahora ya no es momento de ir diciendo: «Ojalá hubiese estudiado más» u: «Ojalá hubiese escogido la tercera pregunta en vez de la quinta».

2. *No lo consideres un golpe demasiado duro.* Si apruebas esta vez, puedes seguir los estudios con normalidad con el resto de los compañeros que no suspendieron. Además, la experiencia te ha servido de lección, ya que ahora tienes más experiencia preparándote para exámenes y sabes qué hay que hacer para aprobar esta clase de pruebas.

3. *Ten presente que hubiese podido ser peor.* Igual hubieses tenido que repetir todo el curso. Piensa que tener que examinarte de nue-

228

vo de una o dos asignaturas no supone ninguna perdida considerable de tiempo o energía. Además, si te dan la oportunidad de volver a hacer un examen significa que estás capacitado para aprobarlo.

4. *Tómatelo como una oportunidad de aprendizaje.* Ahora tienes la oportunidad de dominar lo que antes no llegaste a entender. Además, igual esta vez sólo tienes que prepararte para un par de exámenes y no para todos. Igual había aspectos de una asignatura que no lograste entender la primera vez, y ahora puedes profundizarlos con más detenimiento.

5. *Busca los posibles fallos del primer examen.* A pesar de que las autopsias no suelen tener límite, en el caso de haber suspendido un examen es distinto. Intenta ver si ha sido por haber ido demasiado rápido o porque te quedaste sin tiempo, si todavía no dominabas el tema, si tenías poca experiencia con ese tipo de examen, si contestaste algo que habías estudiado pero que no venía al caso, etc.

6. *Pide la revisión del primer examen.* En algunas universidades es posible que el estudiante vea su examen corregido, lo que resulta de gran ayuda ya que le permite darse cuenta de cómo ha perdido los puntos. Si no, puede que el propio profesor esté dispuesto a comentarte el examen directamente y aconsejarte acerca de lo que puede ayudarte la próxima vez. Lo que no debes hacer en ningún caso es perseguir al profesor para que te explique dónde fallaste.

7. *Analiza el primer examen.* Averigua exactamente qué es lo que no te sabías de las preguntas. De hecho, en esta fase te irá muy bien volver a redactar las respuestas e intentar entender por qué suspendiste.

8. *¿Te encallaste en alguna pregunta específica?* Ésta es una de las principales causas de los suspensos. Quizá te detuviste demasiado en una pregunta concreta sin llegar a ninguna parte y luego no tuviste tiempo para continuar con el resto del examen. Si esto es lo que te sucedió, ahora tienes la oportunidad de resolverlo: intenta responder de nuevo y, si a ti solo no te sale, pregunta a otras personas. Luego ve practicando hasta que lo hagas en cuestión de minutos. Piensa que pueden volverte a preguntar lo mismo la próxima vez.

9. *Recuerda que los exámenes de recuperación no suelen variar y* que una o dos de las preguntas pueden parecerse mucho a las del primer examen.

10. *Mira qué partes del temario no aparecieron en ese primer examen.* Quizás era precisamente lo que mejor te habías estudiado. Sin embargo, siempre cabe la posibilidad de que sí aparezcan en la próxima convocatoria.

11. *Procura estar preparado para aprobar tranquilamente.* Es lógico que quieras demostrar todo lo que sabes, pero piensa que las notas en los exámenes de recuperación suelen ser aprobado o suspenso. Así que, más que empeñarte en hacer un examen brillante, mejor que vayas a por el aprobado seguro.

12. *Haz el examen de manera que, cuando vayas por la mitad, puedas ver que ya estás aprobado.* Es aconsejable que no dediques demasiado tiempo a la primera pregunta aunque ésta te tenga absorbido. Procura no ir más allá de lo que te estén preguntando. Además, siempre puedes volver atrás y añadir lo que quieras, pero lo primero es asegurarte el aprobado contestando sistemáticamente a todas las preguntas.

13. *Cuando estudies, practica respondiendo a preguntas,* ya que, como en cualquier otro examen, esto es lo que harás en el examen de recuperación. Cuanta más agilidad vayas adquiriendo, menos tiempo te hará falta para reflexionar y, como consecuencia, más rápido serás y más será lo que puedas redactar.

14. *Practica repitiendo.* Cada vez que practicas una clase de pregunta concreta, lo haces más rápido y mejor. Hay cosas que no se aprenden si no se repiten una y otra vez. En este sentido, es mejor ir practicando en días distintos en vez de condensar la actividad en un mismo día.

15. *Si es posible, estudia con otros compañeros que también tengan que volver a examinarse.* Si podéis comentar vuestros fallos, lo que todavía no dominabais en ese momento, etc., os costará menos daros cuenta de lo que debéis hacer para aprobar. Además, te irá muy bien estudiar con otros compañeros que estén en tu misma situación.

16. *No retrases lo de ponerte a estudiar.* Ponte a estudiar tan pronto como sepas que tienes la asignatura pendiente. Un pequeño problema será que esta vez no todos tus compañeros tendrán que estudiar, o sea que deberás buscar momentos que quizá pensabas dedicar a otras actividades y ponerte a estudiar el tiempo que convenga.

17. *Cuando te encuentres ante el examen, lee las preguntas con la máxima atención.* Cualquier consejo referente a un examen sigue siendo válido en este caso y por ello es recomendable que vuelvas a leértelos y veas cuáles pueden irte mejor para esta ocasión. Te recuerdo que en el caso de que puedas escoger entre varias preguntas, hazlo bien y opta por aquellas con las que sepas que te aseguras el aprobado. Asimismo, asegúrate de que entiendes lo que te piden en cada caso y limítate a ello cuando respondas.

Octava parte

Buscar trabajo

54

Redactar el currículum

Redactar el currículum es la mejor manera de empezar a buscar trabajo y nunca es demasiado pronto para empezar a hacerlo. Así pues, haz que tener el currículum actualizado en el ordenador pase a ser una de tus prioridades. También es recomendable que lo guardes en disquete y que tengas dos copias impresas y sin doblar en un sobre grande. Ponte a hacerlo ya o en cuanto tengas tiempo, siempre que no sea la excusa para no hacer algo más importante, como por ejemplo estudiar. Pero ¿qué es un *curriculum vitae*? ¿Para qué debería servirte? ¿Cómo actualizarlo? Los consejos que doy a continuación te orientarán en este sentido.

1. *¿Qué es tu currículum?* Un currículum es esencialmente un documento que refleja la historia de tu vida, concretamente tu formación, experiencia y todos tus puntos fuertes. Aunque no te lo hayan pedido, cuando buscas trabajo vale la pena enviar a aquellas personas que pueden terminar contratándote el currículum junto con la solicitud correspondiente. Si ya tienes trabajo, podrás utilizarlo para encontrar otro que sea mejor o para una promoción interna.

2. *¿Cuánto debe ocupar?* Tu currículum irá creciendo a medida que avances en tu carrera profesional. Cuando empieces quizá condenses la información en una única hoja de DINA-4. De todos mo-

dos, incluso cuando ya cuentes con más experiencia, el currículum no debería ocuparte más de cuatro hojas por una única cara: si es demasiado largo, nadie lo leerá.

3. *¿Qué tiene de especial un currículum?* La auténtica ventaja de un currículum es que está bajo tu control, ya que eres tú quien decide qué información incorporar, la presentación, la extensión, la distribución de la información, etc. Por lo tanto, estás jugando a buscar trabajo en tu propio terreno, algo que no sucede con las solicitudes, que suelen estar diseñadas por las empresas.

4. *Léete los currículos de otras personas.* Existen muchas maneras de presentar un currículum. Si ves que te gusta más la estructura del currículum de otra persona, el ordenador te servirá para hacer tantos cambios como convenga en pocos minutos.

5. *Piensa para qué quieres el currículum.* Piensa qué impresión quieres dar a través del currículum. A partir de ahí, te será más fácil determinar la extensión, el orden, la información y el estilo. El objetivo principal de un currículum es actuar como pasaporte para ser seleccionado como candidato cuando buscas trabajo.

6. *Un currículum actualizado y preciso te ahorrará horas de trabajo.* Cuando empiezas a buscar trabajo en serio, puedes llegar a rellenar cientos de solicitudes y cada vez que lo haces debes incluir datos referentes a fechas de exámenes y obtención de títulos, historial laboral (si lo tienes), contactos, etc. Si ya tienes toda esta información en un documento y además la actualizas con frecuencia, lo único que debes hacer es sacar el currículum y copiar la información en la solicitud correspondiente.

7. *Empieza por los datos objetivos*: nombre y apellidos, fecha y lugar de nacimiento, nacionalidad, dirección, estado civil, números de teléfono, direcciones de correo electrónico (si las tienes), etc. Es preferible que des la fecha de nacimiento en vez de la edad, ya que una fecha nunca varía, mientras que la edad sí.

8. *Sigue con la información relativa a tus estudios y títulos.* Especifica todos los datos que puedan interesarle a quien esté ofreciendo el puesto, es decir, los títulos que tengas con la correspon-

diente nota, fecha de obtención y nombre del centro o institución. Especifica también el título para el cual estás actualmente estudiando así como la fecha en que calculas que lo habrás obtenido. En este último caso, deja claro que se trata de un título que aún no tienes, es decir, no te lo atribuyas si todavía no lo has sacado.

9. *A continuación, indica tu experiencia laboral.* Si mientras estudiabas trabajabas durante las vacaciones o tenías un trabajo a tiempo parcial, hazlo constar, porque así das a entender que eres una persona capacitada para el trabajo, que ya cuentas con experiencia por lo que se refiere a trabajos remunerados. Da también a entender que no tendrán que acabar echándote por absentismo o impuntualidad y que estás dispuesto a madrugar. En este sentido, es recomendable que incluyas los datos de aquellos antiguos jefes que se hayan mostrado dispuestos a dar referencias de ti y a confirmar lo que haces constar en el currículum. Asimismo, si alguna vez has ocupado un puesto de confianza o responsabilidad, hazlo constar. Si, por el contrario, todavía no cuentas con ningún tipo de experiencia en este sentido, no incluyas este apartado: al fin y al cabo es tu currículum.

10. *Objetivos profesionales.* Es aconsejable que incluyas un apartado en el que especifiques cuáles son tus planes de futuro profesional. Evidentemente no debes decir que esperas ganar mucho dinero trabajando poco. Habla, en cambio, de tus intereses, de por qué ciertos aspectos figuran entre tus intereses y de por qué crees que sirves para un tipo de trabajo específico.

11. *Haz constar tus intereses y actividades de ocio predilectas.* Añade un apartado en el que se vea que eres una persona corriente y sociable. Da a entender que estás en forma y sano (si es así) y también si tienes permiso de conducir, título de socorrista, etc. También deja claro que eres una persona con intereses y hazlo de tal manera que el que lea el currículum quiera saber más de ti y pueda hacerte preguntas en la entrevista que te gustará contestar y contestarás bien.

12. *Ten en cuenta la presentación.* Si tu currículum es un documento pulido, poco recargado y bien presentado (sin faltas de orto-

grafía, gramaticales, de puntuación, etc.), sólo con esto ya habrás causado una buena impresión. Si lo consideras conveniente, pide a alguien que te revise la ortografía, gramática y puntuación. Para ello, imprime el currículum varias veces o haz fotocopias para que te lo corrijan, cambien cosas o sugieran mejoras. Cuantos más comentarios recibas, mejor te saldrá el currículum.

13. *Actualízalo con frecuencia.* Cada vez tendrás más títulos. Tu experiencia y objetivos profesionales irán avanzando. Puede que cambien tus datos personales. Por lo tanto, lo mejor es ir poniendo el currículum al día y así, cuando lo vayas a necesitar, sólo tendrás que sacarlo del cajón y ponerlo en un sobre junto con una carta de presentación.

14. *Ten como mínimo una copia impresa y otra en disquete.* Puede que tengas que enviar un currículum a toda prisa. Por lo tanto, es mejor que puedas hacer una copia estés donde estés, ya sea en casa, en la universidad o de viaje.

15. *Cambia los contenidos de tu currículum en función del puesto de trabajo.* Según las características de un puesto de trabajo, te interesará resaltar más o menos ciertos aspectos de tu experiencia. Si has hecho el currículum a ordenador, te costará muy poco adaptar la información en función del puesto que te interese. Ahora bien, hazte siempre una copia de la versión exacta que envíes, ya que podrían pasar semanas y meses hasta que te llamen y para entonces puede que ya te hayas olvidado de lo que exactamente especificaste en el currículum.

16. *En una hoja aparte, incluye las referencias.* Habrá veces en las que sólo quieras enviar una copia de tu currículum junto con una breve carta de presentación. Otras quizá tengas que adjuntarlo a la correspondiente solicitud, en la que ya habrás hecho constar el nombre y los datos de las dos o tres personas dispuestas a dar referencias de ti. También puede ser que, según el puesto de trabajo, prefieras que las referencias las dé una persona y no otra o que prefieras enviar un currículum que lo incorpore todo, incluso los datos de quienes van a dar referencias de ti. Todo esto significa que siem-

pre es mejor no incorporar los nombres de estas personas directamente en el currículum y que, si finalmente los haces constar, lo más adecuado es que aparezcan en la última página. Las personas que vayan a dar referencias de ti desempeñan un papel muy importante, hasta tal punto que el siguiente apartado está exclusivamente dedicado a ellas.

55
Referencias

Puede pasar que cuando solicites un puesto de trabajo quien desee contratarte se ponga en contacto con las personas dispuestas a recomendarte. También puede que no se pongan en contacto con ellas hasta que hayas superado el primer obstáculo y estés en la lista de seleccionados para la entrevista. En cualquier caso, tienes pocas probabilidades de que te ofrezcan un puesto de trabajo si te fallan las referencias. Los siguientes consejos te servirán para minimizar la posibilidad de que algo vaya mal y para maximizar el valor de tus referencias.

1. *¿Por qué alguien que puede contratarte necesita referencias?* Ante todo tiene que saber si realmente eres quien dices ser y si la información que facilitas relativa a formación y experiencia es cierta. Además, a las personas que te recomiendan se les suele preguntar si eres alguien de confianza y responsable y si te llevas bien con la gente. También se les suele preguntar si consideran que eres un aspirante adecuado para el puesto de trabajo en cuestión.

2. *¿Por qué necesitas a alguien que te recomiende?* Esta persona puede decirte si cree que vale la pena que solicites un trabajo y orientarte sobre el perfil de persona que busca una empresa u organismo. Asimismo, quizás esté dispuesto a dar un vistazo a tu currículum y solicitud y a sugerirte cambios al respecto. Lo más seguro

es que esta persona haya acumulado mucha experiencia relacionada con la búsqueda de trabajo y que haya pasado por muchas entrevistas con éxito.

3. Antes *de incluir el nombre de una persona en el currículum, pídele su conformidad.* Lo primero que debes hacer es preguntarle si le parece bien que lo incluyas en tu currículum para que te recomiende. Siempre que solicites un puesto de trabajo, ponle al corriente por si terminan llamándole. Si esto ocurriese y a él le cogiese por sorpresa, podría incluso perjudicarte.

4. *Como mínimo,* una *de estas personas debería conocerte bien en el momento en que solicites el trabajo.* Cuando todavía estás estudiando, normalmente la persona que puede dar referencias de ti es un profesor o tutor que sepa como trabajas y que considera que lo haces muy bien.

5. *Otro debe ser alguien que pueda hablar bien de tu carácter.* En este caso puede tratarse de alguien a quien conoces desde hace tiempo y que está capacitado para dar fe de tu integridad personal, fiabilidad y sociabilidad.

6. *No olvides que se trata de personas que* trabajan. Así pues, procura respetar su tiempo y deja que te escriban una carta de recomendación cuando tengan tiempo. En este sentido, les será de gran ayuda tener una copia de tu currículum o de la solicitud, ya que de este modo sabrán lo que has dicho de ti y podrán corroborar la información. Dicho de otro modo, si desconocen la información que haces constar en el currículum, puede que lo que vayan a redactar entre en contradicción con lo que tú hayas dicho, algo que no es demasiado inteligente.

7. *Escoge a personas con* autoridad. Siempre es recomendable que las personas que vayan a recomendarte tengan un cierto nivel y autoridad, ya sea por su estatus profesional o por sus logros académicos. Lo que digan de ti debe resultar creíble.

8. *Escoge a personas* fiables. Deben ser personas dispuestas a echarte una mano ya sea mediante una carta de recomendación o, si no tienen tiempo, cogiendo el teléfono y llamando a la persona que

ofrece el puesto para recomendarte. Si no has conseguido que te recomienden y la fecha límite está al caer, quien ofrece el trabajo dará por entendido que esa persona no estaba dispuesta a avalar tu solicitud.

9. *Escoge a personas con experiencia.* Siempre es mejor que sean personas que ya hayan dado referencias con anterioridad y que sepan qué es lo que quieren saber quienes ofrecen un puesto de trabajo.

10. *Escoge a personas favorables.* Evidentemente deberán mostrarse dispuestos a hablar bien de ti, ya que buscarse a alguien que no está dispuesto a hacerlo es como desear un dolor de muelas. Tan pronto les pidas que te echen una mano, verás hasta qué punto se muestran dispuestos. Piensa que si alguien no quiere recomendarte, lo más lógico es que de buen principio ya no acepte lo que le estás pidiendo.

11. *Asegúrate de que están* disponibles. Cuando facilites información sobre las personas que están dispuestas a recomendarte, siempre debes indicar nombre, cargo, dirección y números de teléfono y fax. Si una empresa u organismo no consigue ponerse en contacto con estas personas, pensarán que no están dispuestos a ayudarte, y no que tú te hayas podido equivocar al escribir la dirección o número de teléfono.

12. *Comprueba los datos referentes a la dirección de e-mail.* Tendrás ocasión de comprobar que la dirección de correo electrónica es correcta la primera vez que le escribas para preguntarle si está dispuesto a recomendarte. En el mensaje puedes poner algo como: «Tengo intenciones de solicitar el puesto de… Le estaría muy agradecido que me permitiera dar su nombre para que aporte referencias mías». Ten en cuenta que aunque hay personas que miran el correo cada día, otras no lo hacen.

13. *Comprueba los números de teléfono y de fax.* El problema del fax es que, cuando enviamos el documento, asumimos que lo recibirá la persona a la cual va dirigido, pero a veces no es así: basta que nos equivoquemos con un dígito para que tu petición le llegue a otra persona y ésta termine echándolo a la papelera.

14. *Asimismo, ten cuidado con los nombres y las direcciones.* Puede que haya cinco doctores Jones en tu universidad. Por lo tanto, piensa que te quedarás sin referencias si da la casualidad de que tu petición llega al despacho del doctor Jones que ese año está llevando a cabo trabajos de investigación en el Lejano Oriente. En las instituciones no es raro que el correo convencional le llegue a la persona equivocada.

15. *Mantén* informados *a quienes se hayan mostrado de acuerdo en recomendarte.* No cuesta nada escribir una carta breve, un e-mail o llamar a las personas que vayan a recomendarte e informarles de que acabas de mandar tu currículum para un trabajo. De este modo sabrán que pueden llamarles. Además, puede que estén enterados de otro trabajo similar y te informen de ello.

16. *Da las gracias.* Aunque esta vez se hayan mostrado conformes en recomendarte, puede que tengas que recurrir a ellos en el futuro. Así que te aconsejo que te mantengas en contacto y que les vayas poniendo al día de cómo te van las cosas.

56
Solicitudes de trabajo

Cuando busques un puesto de trabajo posiblemente tendrás que rellenar la solicitud correspondiente. Pese a que a lo largo de tu vida laboral quizá llegues a rellenar docenas, incluso cientos de solicitudes, sólo harás unas cuantas entrevistas. En otras palabras: por cada posible entrevista quizá tengas que rellenar numerosas solicitudes. Pero que te llamen o no para una entrevista (y aún menos para el trabajo) depende, por lo menos en gran medida, de esa primera solicitud. Así pues, vale la pena aprender a rellenar debidamente este tipo de formularios, de un modo rápido y eficiente.

1. *Tu solicitud debería convertirse en tu embajador,* puesto que da una imagen general de ti y, por razones obvias, quieres que esta imagen sea positiva.

2. *Puede que la solicitud sea la* única *oportunidad que tengas de causar una buena impresión.* Casi siempre te pedirán que acompañes la solicitud con tu currículum, pero puede que al final para el proceso de selección sólo tengan en cuenta la solicitud.

3. *Ten contigo toda la información que vayas a necesitar para rellenar la solicitud.* Si ya has redactado el currículum y además lo tienes actualizado, la cosa va bien. Casi toda la información que deberás hacer constar en una solicitud coincide con lo que puedes tener en el currículum. Ahora tendrás que volver a hacer constar fechas, direcciones, personas que te recomienden, etc., y por este motivo es mejor tener el currículum actualizado ya sea en el ordenador o impreso e incluir la copia correspondiente con cada solicitud que envíes, aunque enviar el currículum no sea un requisito. De hecho, hazlo así siempre excepto en el caso que te indiquen lo contrario.

4. *Asegúrate de que la información de la solicitud no se contradice con la que consta en el currículum.* Si no coinciden fechas, títulos o direcciones estarás dando la impresión de que eres una persona desorganizada y hasta poco fiable.

5. *Quizá tengas que rellenar la solicitud on-line,* lo que tiene sus ventajas e inconvenientes. Una de las ventajas es que, en este tipo de solicitudes, suele haber un apartado donde puedes escribir lo que quieras, y el inconveniente es que quizá no puedas ver cómo quedará la información una vez impresa. Además, tampoco podrás retroceder si has hecho clic sobre la opción «enviar».

6. *Procura hacer por lo menos una fotocopia de la solicitud en blanco.* Rellenar este tipo de solicitudes también requiere una cierta planificación. En más de una ocasión verás que sólo dispones de un espacio determinado para incluir la información. Cuando ya hayas decidido lo que vas a escribir, hazte una fotocopia de la solicitud en blanco.

7. *Ten en cuenta instrucciones del tipo «utiliza tinta negra».* Casi todas las solicitudes terminan siendo fotocopiadas para que las

lean distintas personas y seleccionen a los candidatos. Si no escribes con tinta negra, corres el riesgo de que la fotocopia no salga bien, con lo que ya te habrás ganado un punto en contra o, lo que es peor, quizá la aparten directamente por no haber seguido las instrucciones.

8. *Pueden pedirte que no mecanografíes la información.* También puede que uno de los requisitos sea que la información se escriba a mano (obviamente con tinta negra). Muchas empresas, en los procesos de selección de personal, recurren a grafólogos (expertos en el análisis de la caligrafía) a fin de conocer las características de los aspirantes al puesto. Si la grafología es una ciencia, un arte o un timo, es un tema que ahora no vamos a discutir, pero, por si acaso, es aconsejable que escribas lo mejor que puedas para que se te entienda.

9. *Rellena la solicitud de tal modo que se vea que eres una persona organizada.* Una manera de hacerlo es asegurándote de que no hay tachones ni información fuera del recuadro correspondiente. Tampoco es recomendable que uses líquido corrector.

10. *Demuestra que das importancia a los detalles.* Cuando tengas que especificar tu formación, incluye las fechas correspondientes a la obtención de cada título así como el nombre del centro o institución, la nota, etc. Asimismo, facilita la dirección completa y los teléfonos de instituciones, jefes que tengas o hayas tenido, personas que estén dispuestas a recomendarte, etc. Incluye también, si las sabes, direcciones de correo electrónico y números de fax.

11. *Procura que la información quepa en los recuadros correspondientes.* Reduce la información si lo que querías poner no cabe en el recuadro correspondiente porque es demasiado pequeño. Siempre puedes incluir una nota que remita al currículum si quieres poner más información.

12. *Procura evitar demasiados espacios en blanco.* Si la información que se requiere en un apartado no te concierne, tendrás que dejarlo en blanco. Ahora bien, si ves que te sobrará espacio una vez que lo hayas escrito todo, procura repartirla para que todo en con-

junto parezca más sustancial. Lo que no es recomendable en el caso de tener poca información es que escribas con letras grandes.

13. *No te limites a escribir «véase el currículum».* Si en vez de rellenar la solicitud debidamente te limitas a remitir al lector al currículum, puede que éste acabe pensando que ni siquiera te molestaste en rellenar la solicitud, lo cual puede comportar que no te seleccionen.

14. *Si has ocupado puestos de responsabilidad, hazlo constar.* Las solicitudes suelen incorporar un espacio donde hacer constar si has ocupado algún puesto de responsabilidad (como por ejemplo tesorero de un club o peña, etc.), si has tenido a personas a tu cargo, etc.

15. *Demuestra que eres una persona sociable.* Lo más seguro es que alguien que ofrece un trabajo quiera contratar a una persona que vaya a llevarse bien con todo el mundo. Así que no des a entender que eres un ermitaño o un ser solitario. Tampoco te vayas al otro extremo, ya que no es bueno dar a entender que sólo sabes apañártelas en compañía de otras personas. Haz constar de algún modo que también estás capacitado para trabajar por tu cuenta.

16. *Facilita información que dé pie a posibles preguntas durante la entrevista.* Esto es más fácil de lo que te imaginas. Pongamos que a las personas que te entrevistarán les parecen interesantes las aficiones que has hecho constar en la solicitud. Es muy probable que alguien te haga alguna pregunta al respecto. Cuanto más puedas hablar en una entrevista de lo que dominas y te gusta, más posibilidades tendrás de que el entrevistador se lleve una buena impresión de ti.

17. *«¿Por qué deberíamos contratarte?»* Las entrevistas suelen dar pie a preguntas directas como ésta. Otro ejemplo sería: «¿Qué aportarías al puesto?». Si te hacen una pregunta similar, no peques de modesto. Está muy bien responder algo como «Creo que cuento con la experiencia idónea para hacer bien este trabajo» o «Creo que puedo aportar estilo e iniciativa y que al mismo tiempo me adaptaré con facilidad al nuevo contexto».

18. *Rellena la solicitud definitiva con el máximo cuidado y de manera pulida.* Si primero lo has hecho en sucio para ver qué era lo que más te convenía incluir, deberías tardar relativamente poco preparando la versión definitiva.

19. *Hazte una fotocopia de la solicitud definitiva.* Si finalmente te incluyen en el proceso de selección, deberías tener presente lo que escribiste en esa solicitud, ya que a estas alturas puede que hayas rellenado muchas más.

20. *Incluye una breve carta con el impreso de solicitud y el currículum.* Esta carta, de pocas líneas, debería decir algo como: «Por la presente le envío la solicitud para (indicar el puesto) en (indicar el nombre de la empresa) cuyo anuncio se publicó en (indicar dónde leíste el anuncio)». Asimismo, debes indicar tu nombre, dirección, teléfono, etc. Puede que en algún caso te pidan que redactes una carta de solicitud en vez de rellenar un formulario o presentar un currículum. Los consejos que te doy a continución están pensados para esta modalidad de solicitud.

57

Redactar una *carta* de presentación

Como ya he dicho al final del apartado «Solicitudes de trabajo», cabe la posibilidad de que alguna vez te pidan que lo hagas a través de una carta. Como verás a lo largo de este apartado, una carta no es lo mismo que un formulario. En estos casos no existe la mejor manera de hacerlo, aunque los consejos que te ofrezco a continuación están pensados para que redactes una carta que se adecue a tu propósito.

1. *Lee atentamente las instrucciones.* Haz de detective; si lees las instrucciones con detenimiento, verás exactamente cómo debes redactar la carta de presentación. Muchos de los aspectos que deberás incluir son lógicos: tiene que ser una carta que facilite al encargado de la selección de personal las repuestas a toda una serie de preguntas implícitas.

2. *¿Cuál es el propósito de esta carta?* Fíjate un objetivo tal y como lo harías si tuvieses que escribir una carta para enviarla junto con un formulario debidamente cumplimentado. El primer párrafo ya debe reflejar que el objetivo de la carta es que te tengan en cuenta para el puesto de trabajo (indicar puesto y empresa). Asimismo, en este párrafo debes hacer constar cómo te has enterado de la oferta y que para ti es una satisfacción facilitarles tu solicitud para que la tengan en cuenta en el proceso de selección.

3. *¿Quién eres?* Como en cualquier solicitud, debes facilitar los datos acerca de tu formación, títulos y experiencia. Ahora bien, una carta te permite relacionar estos datos directamente con las características y responsabilidades de un puesto de trabajo específico.

4. *¿Cuál es tu dirección, cómo pueden ponerse en contacto contigo, etc.?* Casi todos estos datos ya los facilitas en el encabezamiento, es decir, en la parte superior de la carta. En este sentido, es importante que te asegures de que van a poder contactar contigo si, entre otras cosas, te eligen para una entrevista.

5. *¿Por qué te interesa este trabajo en concreto?* Vale la pena que des la impresión de que no se trata de una solicitud más, sino que estás muy interesado en el puesto, de cuyas características ya te has informado pero del que también desearías conocer más detalles (quizás a través de una entrevista).

6. *¿Qué experiencia y conocimientos puedes aportar a este puesto de trabajo?* Aquí es donde debes hacer sonar tu trompeta, aunque siempre de modo relevante. De la formación académica que tengas hasta el momento, piensa cuáles son los aspectos más relacionados con el puesto de trabajo que solicitas. Destaca también lo que esperas haber obtenido una vez que finalices tus actuales estudios. Asimismo, haz hincapié en cualquier otra clase de experiencia que tengas, sobre todo si has trabajado con anterioridad, haya sido a tiempo parcial o a jornada completa, o si en tu tiempo libre te dedicas a alguna actividad que consideres que valga la pena mencionar.

7. *¿Qué cualidades específicas puedes aportar al trabajo?* De nuevo, haz sonar tu propia trompeta. De todos modos, te recomiendo que incluyas una o dos frases introducidas con un «por ejemplo» a fin de apoyar las afirmaciones que hayas hecho de ti mismo.

8. *Si te ofreciesen este puesto, ¿cuáles serían tus expectativas?* Ésta es la ocasión para argumentar debidamente por qué te interesa el puesto de trabajo y para especificar tus esperanzas y expectativas al respecto.

9. *Aparte de tus estudios, ¿qué otras cosas te motivan?* Seguramente no encontrarías una pregunta de este estilo en una solicitud

convencional, o por lo menos no te la harían de esta manera, aunque muy probablemente éste sea un aspecto de tu vida del que quien vaya a contratarte quiera saber más.

10. *¿Quién puede responder por ti?* Incluye un párrafo con los mismos datos que corresponderían al apartado de referencias de un currículum convencional.

11. *Concluye con una o dos frases buenas.* Ahora debes dar la última buena impresión, sobre todo si deseas que quien lea el currículum quiera saber más de ti. Piensa que estas últimas líneas pueden llegar a determinar que seas o no seleccionado para una entrevista.

58
Prepararse para una entrevista

Hay personas que se saben desenvolver en las entrevistas. Si estás entre ellas, probablemente no tengas que leer este apartado. En cambio, hay quien las odia. Si eres uno de ellos, los siguientes consejos pueden ayudarte a enfrentarte a una entrevista para incrementar las oportunidades de que te ofrezcan el trabajo y pierdas el miedo.

1. *Felicítate a ti mismo.* Haber sido seleccionado para una entrevista ya es de por sí un logro. Muchos otros no han llegado tan lejos. Una vez seleccionado para una entrevista, ya tienes una oportunidad.

2. *Pero no te hagas ilusiones.* Es cierto que tienes una oportunidad, pero estadísticamente quizá sea de uno sobre tres, con un poco de suerte, o puede que tan poco como de uno sobre diez o incluso menos si, por cualquier motivo, ya tienen escogido a uno de los candidatos. En este último caso, puede tratarse de alguien que conozcan por haber ocupado previamente el puesto durante un tiempo.

3. *Ve cogiendo práctica.* Cuantas más entrevistas hagas, mejor te saldrán. Para ello, recurre a amigos, compañeros, parientes, a quien sea. Se trata de una experiencia que no adquirirás leyendo solamente los consejos, sino respondiendo a preguntas en el acto. Los consejos te servirán para ver cómo tienes que hacerlo, pero sólo la práctica te llevará a dominarla.

4. *Recuerda que las entrevistas no sirven únicamente para encontrar trabajo.* Hay muchas otras circunstancias en las que saber hacer una entrevista te supondrá un beneficio como, por ejemplo, dirigirte adecuadamente a un profesional, ya sea éste médico, dentista, asesor, abogado, personal de atención al cliente, policía, agente de viajes, director de una entidad financiera, personal de ventas, etc. Todos necesitarán información por tu parte para facilitarte un servicio.

5. *Aprende a no ponerte nervioso.* Hazte la idea de que vas a aprender de todas y cada una de las entrevistas que hagas, a pesar de que luego no te ofrezcan el trabajo. Lo ideal es que te muestres relajado para que, si terminan ofreciéndote el puesto, no lo entiendas como un derecho sino como algo extra. Además, las posibilidades de conseguir un puesto de trabajo son siempre mucho mayores si se está relajado.

6. *Prepárate para cuando te digan que les hables de ti.* La mayoría de entrevistas empiezan con una pregunta personal. Así que vale la pena que practiques hablando de tu formación, experiencia, etc. Ve haciéndolo hasta que consigas hablar durante cinco minutos. Lo más probable es que en una situación real te interrumpan antes.

7. *No esperes que se hayan leído toda tu solicitud.* Piensa que quien te entreviste no siempre se habrá leído toda la información. Por este motivo, no te recomiendo que introduzcas tus frases diciendo: «Tal como especifico en la solicitud...». Incluso habiéndolo leído todo, es muy probable que deseen escucharlo con tus propias palabras.

8. *Haz tu propia investigación.* Recaba toda la información que puedas acerca de la empresa u organismo en el que hayas solicitado el puesto de trabajo. Ellos mismos te la pueden facilitar, aunque también existe el recurso de entrar en su página web. Estar bien informado te servirá para que tú mismo hagas preguntas o comentarios inteligentes al estilo de: «Leí en su página web que...», con lo que demostrarás un verdadero interés.

9. *Entérate de si debes llevar a cabo una pequeña presentación.* En alguna ocasión, a los aspirantes al puesto se les pide que prepa-

ren una presentación mediante la cual argumenten qué pueden aportar al puesto. Si éste es tu caso, los consejos que ya te he dado al respecto deberían servirte de ayuda.

10. *Prepárate para cuando te pregunten por qué crees que deben ofrecerte el puesto.* Debes estar preparado para hacer sonar tu propia trompeta de un modo discreto pero firme. No te avergüences de tus capacidades, experiencia y puntos fuertes, es decir: no te infravalores.

11. *Vuelve a leer la solicitud.* Antes de ir a la entrevista, busca la copia de la solicitud, la carta y currículum correspondientes, ya que éste es precisamente el material que se habrán estudiado; quizá esta información es todo lo que tengan, a no ser que se hayan puesto en contacto con alguna de las personas indicadas en el apartado de referencias. Casi todas las preguntas que vayan a hacerte tendrán que ver con tu persona, tu formación y tu experiencia según lo que dijiste.

12. *Vístete para la ocasión.* Utiliza el sentido común y recuerda lo importante que es la primera impresión. En estas ocasiones, siempre es mejor pecar de formal que de desenfadado, pese a que siempre hay excepciones. Si es posible, date algo de margen de acción cuando llegues, una vez que hayas visto cómo se han vestido el resto de los candidatos.

13. *Llega pronto al lugar de la entrevista.* Sal de casa con tiempo, ya que no es bueno llegar sin respiración y confuso. Piensa en toda la energía mental que perderías si te pasases media hora sabiendo que vas a llegar tarde.

14. *Guarda los recibos de transporte.* Te ofrezcan o no el puesto de trabajo cabe la posibilidad de que puedas reclamar los gastos de transporte. Si en cambio te lo ofrecen y no lo aceptas, lo más probable es que no tengas derecho a reclamarlo.

15. *Aprovecha el tiempo al máximo mientras esperas.* Mira a tu alrededor y entabla conversación con quien te parezca dispuesto a hablarte de la empresa. Dedícate a escuchar más que a hablar. Ésta puede ser la ocasión para darte cuenta de si realmente te interesa o no el trabajo.

16. *Espera cualquier cosa.* Puede que la entrevista se desarrolle como una conversación informal con una sola persona, que la hagas en grupo o bien como una conversación formal con una persona o hasta con un jurado de doce personas. También puede que tengas que hacer un test psicotécnico o algún otro ejercicio. Incluso cuando te encuentras con algo inesperado, considéralo una oportunidad para ampliar tu experiencia en entrevistas, aunque esta vez no llegue a dar fruto.

59

Saber desenvolverse en una entrevista

Los consejos que te doy a continuación están pensados para el momento de la entrevista, desde que entres hasta que salgas. Todo es de sentido común, aunque si estás algo nervioso quizá tengas que reflexionar conscientemente.

1. *Sé amable con todo el mundo.* Antes de la entrevista inevitablemente tendrás que hablar con personas que quizá no sepas quienes son. Piensa que el que ahora aparenta ser el más importante quizá no lo sea en el contexto de la entrevista.

2. *No dejes que otros candidatos te depriman.* Hay momentos en los que los aspirantes a un puesto parecen tomar parte en una guerra de nervios con el afán de perjudicar a los otros. No entres en este juego. Además, siempre existe la posibilidad de que alguien de la empresa se dé cuenta de este comportamiento.

3. *Cuando entres, hazlo con calma.* No te apresures por sentarte allí donde te parezca, ya que alguien te invitará a tomar asiento indicándote dónde.

4. *Saca el mayor partido a la mirada.* Si mirar directamente a los ojos de alguien te hace sentirte incómodo, ve practicando hasta que des la impresión de estar haciéndolo aunque en realidad veas borroso o más allá de quien tengas delante. Se trata de la misma habilidad que se necesita para mirar a una cámara: no hace falta que

la estés mirando directamente, pese a que pueda parecerlo. Con la práctica, cualquier persona puede desarrollar esta habilidad.

5. *Sonríe,* pero hazlo con naturalidad. Sonreír es contagioso y a menudo verás que si sonríes ante una pregunta, la reacción por parte de la otra persona también será positiva. Cuando entres en el despacho donde vaya a tener lugar la entrevista, no hará el menor daño dar los buenos días o las buenas tardes con una sonrisa, sin equivocarte, eso sí, en lo que toque decir.

6. *Procura* mostrarte *receptivo y seguro, aunque en realidad no te sientas así.* A simple vista, casi todos los presentadores de televisión y espectáculos aparentan estar tranquilos y relajados, pese a confesar que, hasta que no ha pasado un buen rato, el corazón les va a cien por hora. Estos profesionales, sin embargo, saben cómo mostrarse tranquilos, algo que tú también puedes lograr con la debida práctica.

7. *Habla pausadamente, con calma y sin levantar el tono.* Una parte del mérito se atribuye a saber responder con calma y seguridad y otra a las buenas respuestas. Así pues, no te limites a dar buenas respuestas sin tener en cuenta el primer aspecto.

8. *Muéstrate tranquilo.* Cuando se está nervioso, es muy normal bajar el tono de voz al final de una frase, por lo que el significado no llega al interlocutor tan bien como si se hubiese mantenido el tono. El final de una frase siempre es importante, ya que es el punto de partida natural para la pregunta siguiente.

9. *Procura evitar los silencios.* Por norma general, los silencios a lo largo de una entrevista no son positivos. Procura decir o preguntar algo si ves que un silencio dura demasiado. No obstante, los nervios pueden llegar a distorsionar la noción del tiempo, por lo que debes tener en cuenta que lo que a ti te pueda parecer un silencio largo en realidad no lo sea.

10. *No interrumpas a nadie.* No continúes hablando si ves que quieren hacerte una pregunta o clarificar algún aspecto. Si hay algo que especialmente desees explicar o preguntar a los entrevistadores, espera a que llegue el momento apropiado de hacerlo.

11. *No farolees.* En el caso de que no sepas algo, siempre es mucho mejor manifestarlo directamente y no que se den cuenta de ello al decir tú algo que no venía al caso. Es mejor decir algo como: «Lo siento pero todavía no cuento con experiencia en este sentido», en vez de responder con una tontería.

12. *Si viene al caso, pide que te clarifiquen una pregunta,* aunque no debes pedir que te la repitan. Para ello, te irá muy bien decir lo que entiendes a la persona que te haya hecho la pregunta con palabras como por ejemplo: «¿Lo que desean que les explique es…». Esto puede hacer que tardes más en dar la respuesta concreta, pero lo más importante es que realmente estés contestando a lo que te pedían.

13. *Si hay alguien tomando notas, no te asustes.* Sobre todo no caigas en la tentación de mirar para ver qué están anotando. Al fin y al cabo piensa que podrían estar escribiendo cosas positivas sobre la entrevista. Así que no des por sentado que lo que anoten vaya en tu contra.

14. *Habla de* tu *tiempo libre.* Habla con convicción sobre lo que dominas. Cuando estés hablando de tus intereses o aficiones, te sentirás como en casa y hasta puede que sepas más de ciertos temas que los propios entrevistadores. Así pues, saca el máximo partido de estas ocasiones para demostrar que eres una persona segura de ti misma y llena de entusiasmo. Puede que así logres compensar otros aspectos con los que no te sientas tan seguro.

15. *En las entrevistas con jurado, dirígete a* todos *los miembros.* No te limites a responder al miembro del jurado que te ha hecho la pregunta. Quizás esa persona ya esté viendo si estás dando una buena respuesta o no. En cambio, puede que esto no le ocurra a otro miembro y tengas que convencerle de que tu respuesta es buena, incluso cuando te cueste un poco.

16. Termina *dando una buena impresión.* Es importantísimo que tu saber hacer en la entrevista no vaya disminuyendo. Hay veces que al final de la entrevista, cuando ya no te hacen más preguntas (sobre todo en las entrevistas con jurado), se produce un largo

silencio. Ten preparadas un par de preguntas, siempre que resulten pertinentes y sepas que puedes hacerlas.

17. *Haz preguntas inteligentes.* No hagas preguntas acerca de las condiciones económicas, vacaciones, etc. En cambio, sí que puedes interesarte por las oportunidades de promoción y, lo que aún es mejor, por aspectos de los cuales ellos parecen sentirse especialmente orgullosos, dispuestos, etc. ¿Qué es lo que les gustaría que les preguntases? ¿Qué les gustaría explicarte?

60
Tras una entrevista

Si has conseguido lo que querías de una entrevista, no sentirás la necesidad de recibir consejos sobre cómo superar el resultado. Pero tienes que tener en cuenta que, estadísticamente, la mayoría de los aspirantes a un puesto de trabajo no obtienen lo que deseaban en la entrevista de trabajo. No obstante, la experiencia de aprendizaje no se acaba aquí y los siguientes consejos están pensados en este sentido.

1. *Si te ofrecen el trabajo, lo mejor es aceptarlo.* Puede suceder que al final de una entrevista te pregunten si aceptarías el puesto en el caso de ofrecerte el trabajo en ese momento. Si respondes negativamente, no cabe duda de que te estás despidiendo de ese trabajo, algo que no tiene nada de malo si el trabajo no te interesa. Sin embargo, una respuesta positiva puede servir para negociar ciertos aspectos.

2. *Informa a las personas que te han recomendado y dales las gracias.* Te ofrezcan o no el puesto, es importante dar las gracias a aquellas personas que hayan facilitado referencias sobre ti, ya que seguramente volverás a necesitarles tarde o temprano. Asimismo, si no has tenido suerte en una entrevista, estas personas pueden aconsejarte para una próxima vez. Piensa que les han podido hacer preguntas sobre ti y que con sus respuestas se hayan dado cuenta de que tu perfil no obedecía al tipo de candidato que buscaban.

3. *Si has tenido suerte, analiza por qué.* Siempre vale la pena reflexionar sobre una entrevista y ver qué fue bien. Por supuesto que no será la última entrevista que vayas a hacer y por ello es importante que tengas en cuenta lo mismo para la próxima vez. ¿Cuál fue el mejor momento de la entrevista? ¿De qué respuesta te sientes especialmente orgulloso? Aunque el resto de los consejos están pensados para una situación en la que no te ofrecen el puesto, también vale la pena reflexionar al respecto si has conseguido el trabajo.

4. *Si no te han ofrecido el trabajo, no pierdas el optimismo.* No olvides que a la mayoría de candidatos no se les ofrece el trabajo. Haber llegado a la fase de la entrevista significa que ya te ha ido mejor que a muchos otros. Por lo menos se te ha tenido en cuenta en esa fase de la solicitud.

5. *La persona seleccionada quizás era más apropiada para el puesto,* lo que no significa ni mucho menos que este candidato sea mejor persona. Simplemente puede que su perfil fuese más adecuado debido a su experiencia o capacidades.

6. *Entiende la entrevista como una experiencia de aprendizaje.* Puede que te sientas decepcionado, pero esto no quita que no hayas podido aprender de la experiencia.

7. *No le hagas la autopsia a la entrevista.* Por mucho que vaya bien reflexionar acerca de lo que te fue bien y de lo que no te fue tan bien, no le des demasiadas vueltas, porque terminarás mareándote. No caigas en la tentación de pensar: «Ojalá hubiese dicho esto y lo otro» u «Ojalá hubiese sabido cómo responder a esa pregunta». Lo pasado pasado está, y siempre habrá una próxima vez: no se tratará del mismo trabajo ni de la misma empresa, pero piensa que la próxima vez puede tratarse de una oferta todavía mejor. Así que haz que los lamentos se conviertan en esperanzas y olvídate de lo pasado.

8. *Anota las preguntas con las que tuviste algún problema.* Siempre existe la posibilidad de que en un futuro vuelvan a preguntarte lo mismo y hombre precavido vale por dos. De hecho, las entrevistas son la mejor manera de saber qué es lo que puede ayudarte en ocasiones futuras.

9. *No olvides las partes de la entrevista que te fueron bien.* Haz que la experiencia sea constructiva, recuerda los puntos donde mostraste más seguridad así como las preguntas cuyas respuestas te resultaron fáciles.

10. *Si te hacen algún comentario acerca de la entrevista, tenlo en cuenta.* Una sugerencia sería que llamases por teléfono a la empresa y que les preguntases por la entrevista. Esto es algo que también puedes hacer por carta, pero piensa que por teléfono siempre puedes sacar más conclusiones a partir del tono de voz, etc. Asimismo, podrías pedir consejo para futuras entrevistas. Puedes aprender mucho de esto, ya que incluso hasta podrían explicarte por qué no terminaron ofreciéndote el puesto, aunque lo más seguro es que te digan por qué la balanza terminó decantándose a favor de otro candidato. Toda esta información te ayudará mucho para la próxima entrevista.

11. *Ante cualquier comentario, procura no ponerte a la defensiva.* Tomada la decisión, no tiene sentido luchar por una causa perdida. Si en esta fase intentas justificar tu candidatura, estarás interfiriendo en el flujo de comentarios. Así pues, escucha y con serenidad haz preguntas que puedan servirte para la próxima ocasión.

Un último apunte

Una vez dados los consejos, no querría terminar el libro de cualquier manera. A lo largo de tu carrera profesional, continuarás aprendiendo cosas. Cuanto más receptivo te muestres ante el aprendizaje, más disfrutarás de la vida. De hecho, la vida en sí puede entenderse como una experiencia de aprendizaje y la mayoría de las personas siempre está aprendiendo cosas nuevas.

Asimismo, tener ganas de aprender te permite abrirte camino, encontrar todo tipo de oportunidades y poder enfrentarte a distintos retos a lo largo de tu carrera. También te servirá para ayudar a que otras personas aprendan a aprender y lo hagan satisfactoriamente. Pocas cosas llegan a compensar tanto como ver que has ayudado a que otros se hiciesen justicia a sí mismos y a tener éxito.

Así que no te olvides de lo que hayas aprendido poniendo en práctica estos consejos durante tus años de universidad: lo mejor llévatelo contigo a la próxima etapa de tu vida.

Otras lecturas

Barnes, Rob, *Successful Study for Degrees*, Londres, Routledge, 1995.

Bell, Judith, *Doing your Research Project*, Buckingham, Open University Press, 1993 (trad. cast.: *Cómo hacer tu primer trabajo de investigación*, Barcelona, Gedisa, 2000).

Chambers, E. y A. Northedge, *The Arts Good Study Guide*, Milton Keynes, Open University Worldwide, 1997.

Creme, Phyllis y Mary R. Lea, *Writing at University: A Guide for Students*, Buckingham, Open University Press, 1997 (trad. cast.: *Escribir en la universidad*, Barcelona, Gedisa, 2000).

Cryer, Pat, *The Research Student's Guide to Success*, Buckingham, Open University Press, 1996.

Fairbairn, Gavin J. y Christopher Winch, *Reading, Writing and Reasoning: A Guide for Students*, 2ª ed., Buckingham, Open University Press, 1996.

Northedge, Andy, *The Good Study Guide*, Milton Keynes, Open University Worldwide, 1990.

Northedge, A., J. Thomas, A. Lane y A. Peasgood, *The Sciences Good Study Guide*, Milton Keynes, Open University Worldwide, 1997.

Race, Phil, *How to Get a Good Degree*, Buckingham, Open University Press, 1999.

—, *How to Win as a Final-Year Student*, Buckingham, Open University Press, 2000 (trad. cast.: *¡Ponte las pilas!: cómo superar el último año de carrera y prepararse para entrar en el mundo laboral*, Barcelona, Gedisa, 2003).

Saunders, Danny (comp.), *The Complete Student Handbook*, Oxford, Blackwell, 1994.